SPN 3
El último sol

Tufts University

cognella®

SAN DIEGO

Table of Contents Page

El último sol

Prólogo

Tenochtitlán

Según el mito azteca, los antiguos mexicanos —o *mexica*— vinieron de Aztlán, una región árida y fría del norte. Un día, uno de sus dioses les habló de una zona fértil que se encontraba al sur. —¡Búsquenla! —les dijo—. Deben detenerse al encontrar un *nopalli*[1] y un águila real en su nido.

Entonces todos los mexica —llamados también aztecas por venir de Aztlán— salieron hacia el sur. El trayecto duró

El emblema mexicano del águila sobre el nopal y la serpiente.

---

[1]nopal, *prickly pear*

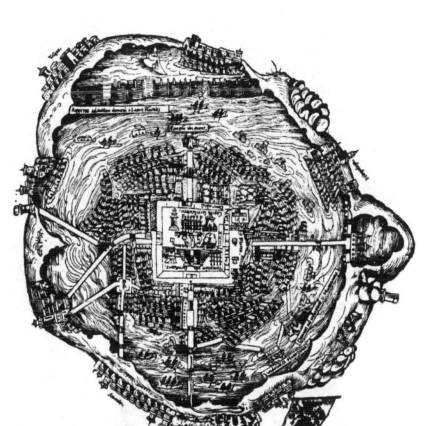

Plano de la ciudad de México-Tenochtitlán.

años. Llegaron por fin a un valle donde había un lago, y en el centro de ese lago descubrieron una isla deshabitada. Allí estaba el águila sobre el nopal. En esa isla fundaron su ciudad, Tenochtitlán.

Mientras construían su ciudad, los aztecas podían ver cada noche a «Metzli», la luna, reflejada en las aguas del lago. Por eso empezaron a llamar a su tierra Metzli-Xictly, que quiere decir «en medio de la luna». Con el tiempo, el nombre se abrevió a Mexitli, y después a México. Desde que fundaron su ciudad, los mexica tuvieron como signo y emblema el águila sobre el nopal. En el pico,[2] el águila sostiene una serpiente, símbolo de la guerra.

Los mexica —o aztecas— extendieron su dominio y llegaron a tener una civilización poderosa. Ellos consideraban que México-Tenochtitlán estaba en el centro del universo. Así lo expresaban en náhuatl:[3] *In Cem-Anahuac Yoyotli.* Creían también que Tenochtitlán era el corazón del mundo.

La guerra florida y el sacrificio humano

El imperio de los aztecas fue muy vasto. El emperador sometía[4] a los pueblos vecinos y les pedía tributos excesivos. En batallas que los aztecas llamaban «guerras floridas», capturaban a sus adversarios para sacrificarlos a Tonatiuh, dios del sol.

Guerreros aztecas con sus trajes militares.

---

[2]*beak*   [3]idioma de los aztecas   [4]*subdued, conquered*

Cuchillo de obsidiana que se usaba en el sacrificio humano.

El sacrificio consistía en atar[5] al prisionero sobre una piedra. Luego un sacerdote le abría el pecho con un cuchillo y le sacaba el corazón. Este corazón era presentado como ofrenda[6] a los dioses, para calmar su hambre y conseguir su protección.

Las cinco eras del mundo

Los aztecas tenían un calendario al cual llamaban la Piedra del Sol. Este calendario era una piedra plana[7] de forma redonda.[8] En su superficie estaban grabadas todas las eras —o soles— anteriores en la historia sagrada.

La primera era fue destruida por tigres, la segunda por vientos, la tercera por lluvia ardiente y la cuarta por agua. El quinto sol, la era bajo la cual vivieron los aztecas, nació en la fecha ceremonial de 13-Caña.[9]

Los aztecas creían que cada 52 años ocurriría una catástrofe que, si de hecho ocurriera,[10] daría fin a la quinta era. Pero ellos posponían su destrucción por medio de sacrificios.

La catástrofe llegó finalmente, y los aztecas no pudieron evitarla. El quinto sol quedó extinto al llegar los españoles al

---

[5]*tying up* [6]*offering* [7]*flat* [8]*round* [9]*13-Reed* [10]*si... if it were, in fact, to occur*

«centro y corazón» del mundo. La hermosa Piedra del Sol dejó de funcionar como calendario en 1519, año en que Hernán Cortés[11] entró en Tenochtitlán.

El calendario azteca, también conocido como la Piedra del Sol. En el centro está la figura de Tonatiuh, dios del sol, quien recibía el corazón de los soldados sacrificados.

Alrededor de Tonatiuh se ven los cuatro períodos cósmicos del mundo y, en el próximo círculo, los 20 símbolos del día. Abajo se juntan las colas[12] de dos serpientes en la fecha sagrada[13] de la creación.

---

[11]Hernán... conquistador español (1485–1547)   [12]*tails*   [13]*sacred*

Parte I

Paseo de la Reforma en la Ciudad de México.

Uno

¿Viví mi extraña aventura realmente? No sé. Sólo estoy seguro de que algo increíble me ocurrió. Sería fácil encontrar una explicación lógica; decir, por ejemplo, que simplemente «soñé» mi travesía.[1] Pero el caso no es tan simple, como podrán ver[2] al final de este cuento.

En fin, que cada cual decida lo que quiera creer.[3] Yo, Daniel Flores, me conformo con que escuchen mi relato. Y la persona más importante en ese relato es Chalchi, mi novia, con quien voy a casarme muy pronto. Gracias a ella aprendí a ver —a *sentir*— aspectos de la realidad que yo me negaba a admitir.

No quiero implicar que Chalchi tenga poderes mágicos. No. Su verdadero poder es el de la imaginación. Con la ayuda de mi novia pude emprender[4] un viaje fantástico. Acepto la verdad de ese viaje sin preguntas ni explicaciones, pues ahora es parte de mi vida, y de la historia...

◇

Desde niño me ha fascinado la historia. En la preparatoria[5] estaba seguro de que iba a seguir la carrera de historiador. Quería hacer descubrimientos, registrar archivos, encontrar

---

[1]*voyage, journey*   [2]*podrán... you will be able to see*   [3]*que... let everyone decide what he or she wants to believe*   [4]*embark on*
[5]*college preparatory school*

documentos importantes. Me interesaban sobre todo las culturas prehispánicas. Pero, lamentablemente, no me sería posible seguir esa carrera. Un día, mi padre me dijo:

—Daniel, hijo, ya tienes dieciocho años. Es hora de que salgas de este pueblo y estudies en la universidad. Nosotros vamos a ayudarte; haremos un esfuerzo[6] por mandarte a la capital. Allí podrás recibir una buena educación.

La idea de mi padre me alegró mucho, pero pronto me di cuenta de que aquel plan no tenía sentido. Vivir en el Distrito Federal[7] sería muy costoso. Mis padres apenas podían sostenerse con las cosechas[8] de maíz y con los pocos animales que teníamos en nuestra pequeña granja.

—No, papá —le dije—. Les agradezco a ti y a mamá este esfuerzo que quieren hacer, pero...

—Mira, hijo, podemos vender parte de la tierra y algunos animales. Y tú podrías conseguir chamba[9] en la capital, ¿no?

—Un trabajo que no te quite mucho tiempo —agregó mamá—, y que te ayude para comprar tus libros y para otros gastos.

—No sé, mamá, papá...

—¡Ándale, Daniel! —exclamaron mis padres, logrando por fin entusiasmarme con la idea.

Agradecido, acepté su oferta.

—Lo mejor sería un estudio relacionado con la tierra —sugirió mi madre.

—Sí, es una buena idea —asintió papá—. Para mejorar nuestros medios de cultivo.

Mis padres tenían razón. Mi deber era estudiar algo práctico que pudiera ayudarnos.[10] Fue fácil decidir. La carrera más práctica sería la de ingeniero agrónomo.

---

[6]haremos... *we will make an effort* [7]Distrito... la capital de México; comparable con el Distrito de Columbia [8]*crops* [9]trabajo (*coll. Mex.*) [10]pudiera... *could help us*

Me propuse entonces abandonar mi sueño de ser historiador, y dedicarme a la agronomía. Mi objetivo: terminar pronto mis estudios. Después, regresar a Ayapango, mi pueblo, para ayudar a mis padres con el trabajo de la granja. Y sobre todo para casarme con mi querida Chalchi.

$$\diamondsuit$$

Tuve suerte cuando llegué a la Ciudad de México. Conseguí un empleo de botones[11] en el Hotel del Prado. Trabajaba seis horas en la mañana y por la tarde recibía clases en la UNAM:[12] lecciones sobre los diferentes tipos de terreno y abono,[13] sobre las nuevas maquinarias para la siembra[14] (casi todas de tecnología avanzada pero muy costosas).

Mi trabajo en el hotel era monótono; más que nada cargaba maletas. Pero de vez en cuando conocía a personas interesantes. Además, siempre podía disfrutar del mural de Diego Rivera que había en el hotel, el cual mostraba pasajes de la historia mexicana.

Me gustaba analizar esa obra, descubrir cosas nuevas: alguna expresión, una imagen, algún tono de la pintura. Frente al mural, me dejaba transportar por los eventos de la historia. Me veía a mí mismo convertido en un guerrero azteca; también en un príncipe vestido de plumas, rodeado[15] de mujeres doradas por el sol, bellas princesas con perfil de águila. Y siempre sentía la misma furia hacia los colonizadores, por su injusta destrucción de la cultura indígena de México.

Los fines de semana, para distraerme, me reunía con compañeros de la universidad, iba al Museo de Antropología, al parque. Pero, la verdad, no lograba sentirme muy a gusto en la capital. Extrañaba a mis padres y a Chalchi, mi

---

[11]*bellhop*   [12]Universidad Nacional Autónoma de México   [13]*fertilizer*
[14]*sowing*   [15]*surrounded*

casa, la vida del pueblo, la comida de mi madre y el olor a humo de su cocina. Extrañaba el nogal[16] del patio con sus nueces que caen como lluvia, la lucha diaria con las ardillas que quieren comerse el maíz almacenado.[17] Y sobre todo la vista fantástica de los volcanes Iztaccíhuatl y Popocatépetl.

Cuando era niño pasaba horas mirándolos. Es difícil imaginarse a un niño sentado sin hacer nada por tanto tiempo, pero así era. Me levantaba muy temprano y me sentaba debajo del nogal. Los volcanes iban apareciendo lentamente con la luz del día, y yo los saludaba desde el patio de mi casa. Después, de adolescente, casi todos los domingos hacía el viaje en tren desde Ayapango hasta el pueblo de Amecameca, que está casi al pie del «Izta» y del «Popo». El paisaje me llenaba de ánimo:[18] los campos abiertos, el verde de la tierra, las humildes casitas de teja roja.

Durante el trayecto en tren, a veces, me ponía a recordar las leyendas sobre esas dos montañas. Había muchos relatos, todos muy románticos. Los protagonistas eran siempre dos amantes separados por la muerte y unidos por Xochiquétzal, diosa del amor. Eran enamorados que ella convertía en volcanes.

Pero al acercarme a Popo y a Izta, trataba de olvidar esas historias de amores imposibles. Veía entonces ante mí sólo dos imponentes montañas. Y allí, junto a mis volcanes amigos, siempre pensaba en Chalchi...

Chalchi y yo nos conocemos desde la infancia. Por ser vecinos, casi se puede decir que nos criamos[19] juntos. Yo soy hijo único[20] (por problemas de salud, mi madre pudo tener sólo un hijo), y me gustaba imaginarme que Chalchi y sus

---

[16]*walnut tree*   [17]*stored*   [18]me... *lifted my spirits*   [19]nos... *we grew up*
[20]hijo... *only child*

hermanos eran mis hermanos. La verdad es que con ellos me he sentido siempre como un miembro más de la familia.

Mi novia y yo éramos niños todavía cuando empezamos a inventar juegos amorosos. Uno de nuestros favoritos era fingir[21] que Chalchi era una princesa azteca y yo un guerrero enamorado de ella. ¡Cuánto nos gustaba besarnos! A veces peleábamos, pues Chalchi insistía en tener magia, dioses, fantasía. Y yo sólo quería hechos específicos, como hacer la guerra en nombre de nuestro amor, ganar muchas batallas y convertirme en héroe.

De mi novia me gustó siempre su nombre, Chalchiunenetl, que en el idioma náhuatl quiere decir «muñeca de jade». Es un nombre que le queda bien, pues Chalchi (como la llaman todos) tiene los ojos muy verdes. Pero ella no es una muñeca para mí. Es mi mejor amiga, mi compañera.

Chalchiunenetl siempre escucha con interés los pasajes de la historia mexicana que comparto con ella. Cada vez que puedo, le regalo libros (novelas en ediciones baratas que compro en la Ciudad de México) porque le apasiona la literatura. A Chalchi le gustaría estudiar en la UNAM, pero le apena[22] alejarse de su familia. Sus padres, que ya están viejos, la necesitan. Ella ayuda a su madre en los queha-

---

[21]*to pretend*   [22]le... *it troubles her*

ceres de la casa y en la crianza[23] de sus hermanos menores; también asiste a su padre en el cultivo del maíz.

Mi novia es la persona más inteligente que conozco. Nuestras conversaciones suelen ser acaloradas,[24] pues no estamos de acuerdo en algunas cosas. Un tema que discutimos mucho es la «historia». Chalchi y yo tenemos maneras muy diferentes de entenderla.

—La historia —me dice Chalchi— tiende a narrar sólo los grandes eventos, a reconocer más que nada a los héroes.

—Pero son los héroes —yo le explico— quienes logran[25] hacer cambios en el mundo. Por eso se les considera personas heroicas.

—El problema, Daniel, es que la historia oficial de los libros no toma en cuenta las pequeñas hazañas[26] de mucha gente. Y la historia casi nunca se ocupa de incluir a las mujeres, ya que son los hombres sus autores.

—De acuerdo, Chalchi. La historia documenta los grandes eventos. Pero así debe ser: la escritura de acciones y acontecimientos, tal como ocurrieron. La historia no debe ocuparse de cuestionar su propio valor, su significado. ¡Ése es el trabajo de los filósofos!

—No estoy de acuerdo contigo, Daniel. La historia es la gente, tú y yo, nuestras familias. Y sí tenemos el derecho de cuestionar lo que hacemos y decimos. La historia no es sólo lo que se publica en los libros. Es también, por ejemplo, todas las leyendas de nuestra cultura, los mitos...

—No, Chalchi. La mitología es otra cosa muy distinta.

—¿Por qué? Los mitos son creaciones del ser humano, y describen quiénes somos, cómo pensamos. ¡Debemos considerarlos parte de la historia!

Nuestro diálogo es siempre así, apasionado. Los desacuerdos[27] que tenemos hacen más rica nuestra relación.

---

[23]*upbringing*   [24]suelen... *are usually passionate*   [25]*manage, are able*
[26]*deeds*   [27]*disagreements*

Dos

Recuerdo vívidamente el día en que decidí proponerle matrimonio a Chalchi. ¡Nunca voy a olvidarlo! Era verano, y llevaba poco más de un año viviendo en la capital. Ese día no tenía deseos de estudiar mis apuntes de agronomía (información práctica pero no muy estimulante). No quería tampoco estar solo en el pequeño cuarto que alquilo en una casa de familia.

Después de quitarme el uniforme de botones y ponerme otra ropa, traté de hacer algún plan. Por lo general, en un día largo de verano, me gusta caminar por el Parque de Chapultepec y sentarme a la sombra[28] de un árbol. A veces me encuentro con algún amigo en la explanada de la UNAM y vamos a tomar algo, o visito el Museo de Antropología. Esas visitas al museo son mi premio[29] por todo el estudio y el trabajo que ocupan mi tiempo.

En la Sala Mexica está la exhibición que más me interesa, pues representa nuestra antigua cultura mexicana. Allí siempre observo detenidamente los diferentes instrumentos de obsidiana y todas las otras reliquias. Una estatua pequeña de barro negro es el dios de la noche, Tezcatlipoca. Otra figurilla con un falo[30] enorme es Quetzalcóatl, dios de la creación. Huitzilopochtli está vestido de plumas, ya que es el dios de la guerra. La diosa del maíz, Chicomecóatl, es una

---

[28]*shade*   [29]*reward, prize*   [30]*phallus*

El Museo de Antropología en la Ciudad de México.

figura sencilla de piedra caliza.[31] Y Xochiquétzal, diosa del amor y la fertilidad, obviamente tiene pechos[32] exuberantes.

El objeto más impresionante del museo es sin duda la Piedra del Sol; o sea, el calendario azteca. Es grande, redonda, y en el centro lleva la cara de Tonatiuh, el dios del sol, con su mirada fija en el vacío y la boca abierta, dispuesta a devorar corazones humanos. Alrededor de Tonatiuh están representadas las cuatro eras que precedieron al quinto y último sol. En esa piedra se puede estudiar el comienzo y el fin de una de las civilizaciones más poderosas que han existido en el mundo.

◇

Aquel día caminé largo rato por la avenida Juárez,[33] donde está el Hotel del Prado. Tomé el metro en la primera

---

[31]piedra... *limestone*   [32]*breasts*   [33]avenida... avenida nombrada por Benito Juárez (1806–1872), presidente de México de 1857 a 1872

parada que tuve delante, y me bajé en la avenida Insur-
gentes. Llegué al Café de Filosofía y Letras[34] y lo encontré
repleto de gente. Hoy, por primera vez, me molestaba el
ruido y la compañía de los demás. Me quedé allí un par de
horas, tomando cerveza y conversando con mis cuates,[35] y
luego me despedí. Ahora sí tenía deseos de estar solo.

Estuve andando por el Chapultepec y luego por toda
la ciudad. Pensaba en mis padres. Hacía tiempo que no los
visitaba. ¿Un mes? Al principio, cuando llegué a la capital,
iba a verlos con frecuencia. Pero últimamente tenía mucho
que estudiar y demasiado trabajo en el hotel.

Pensé también en Chalchi. Después de un año, la extrañaba como el primer día. Sólo me consolaba saber que,
al terminar mi carrera, volvería a Ayapango para casarme
con ella. Pero faltaba mucho tiempo, ¡casi cuatro años! Lo
que debía hacer era comprometerme[36] con Chalchi, pedir

Detalle de un mosaico de Diego Rivera en el Parque de
Chapultepec.

---

[34]Café... en el edificio de la Facultad de Filosofía y Letras de la Universidad Autónoma   [35]amigos, compañeros (*coll. Mex.*)   [36]*to get engaged*

su mano y fijar la fecha de la boda. Es decir, si ella aceptaba ser mi esposa...

Todavía no podía darle un anillo de compromiso;[37] tendría que[38] ahorrar mucho para comprar uno de oro y digno[39] de Chalchi. Por el momento, pensaba ofrecerle a mi novia un collar[40] de obsidiana con un pequeño corazón. Era un objeto que vendían en el Museo de Antropología. Las cuentas[41] y el corazón del collar no estaban hechos de obsidiana verdadera, pero tenían una apariencia convincente y atractiva. Por ahora, ese collar sería el símbolo del amor entre nosotros.

Mi sueño era y sigue siendo vivir con mi esposa en Ayapango, en una humilde casita construida por nosotros; tener hijos, una pequeña granja, una vida tranquila. Todo muy típico, pero así me sentía yo. Así me siento, ¡como un típico enamorado!

$$\diamondsuit$$

Subí a mi habitación en la azotea,[42] y me alegré de vivir allí arriba. Me gustaba contemplar el paisaje de luces de neón, el movimiento constante de la ciudad. Como otras veces, me pregunté cómo habrá sido[43] este lugar cuando, un día de 1519, Hernán Cortés lo tuvo ante sus ojos.

Traté de recordar entonces un hermoso poema del libro *Los Metzli*, una antología de jóvenes poetas que tratan de actualizar la poesía náhuatl. Yo había conocido a algunos de aquellos escritores en la universidad, y los admiraba mucho. Sus versos hablaban de mitos, dioses, ciudades encantadas...

---

[37]anillo... *engagement ring* [38]tendría... *I would have to* [39]*worthy, deserving* [40]*necklace* [41]*beads* [42]*attic* [43]cómo... *what it must have been like*

Entre flores de luz naciste un día, Tenochtitlán
para brillar en todo el universo
Tu corazón: el corazón de todo ser viviente[44]
Tu voz: la voz del sol, la voz del viento

* * *

De las aguas y las nubes brotaste,[45] *Tenochtitlán*
Como el águila azul volaste al cielo
Y regresaste para ser el Centro:
In Cem-Anahuac Yoyotli
Tu corazón: el corazón de todo el universo

◇

La mañana siguiente me levanté muy temprano, hice la maleta, y llamé a mi jefe. Le pedí unos días libres, mis primeras vacaciones desde que empecé a trabajar en el Prado. El jefe me dijo que estaba bien, pero que regresara[46] lo antes posible, pues en el hotel siempre hay mucho trabajo.

Esa misma mañana tomé el tren en la estación San Lázaro rumbo a mi pueblo.

---

[44]todo... *all living things* [45]*you sprang forth* [46]que... *to return*

Tres

*I*ba mirando el paisaje a través de la ventanilla del tren. El cielo nunca me pareció tan azul, ni el verde de la hierba tan verde. Noté el gran contraste entre esos hogares provincianos y los edificios del Distrito Federal. En la capital, tráfico incesante y aire contaminado. En la provincia, campos de maíz, el silencio de las noches interrumpido por una guitarra campesina.

Me alegraba volver a Ayapango, a la tranquilidad de sus mañanas. Mientras recorría a pie el corto camino de la estación a mi casa, iba recordando el sabor a agua fresca de los platos de mamá. Y recordando a Chalchi.

Luvina, mi madre, dio gritos de alegría cuando me vio parado en la puerta. Me abrazó, me besó, y empezó a hablar de lo último que había ocurrido en el pueblo. Yo la escuchaba y la observaba: siempre la misma sonrisa, los pasos lentos y la mirada baja; el mismo rebozo[47] y la falda larga, limpia a pesar del duro trabajo.

Mi padre, Juan, también me abrazó. Me preguntó cómo estaba y cuánto tiempo pensaba quedarme.

—Unos días —le respondí.

---

[47]*shawl*

—¿Y tus estudios?

—No tengo ninguna clase este verano, papá.

—¿Y el trabajo en el hotel? —me preguntó mi madre.

—Pedí vacaciones.

Mamá notó algo diferente en mí. Quizá me encontraba muy pensativo. Se acercó y me pasó la mano por la frente.

—Daniel —me dijo—, a ti te pasa algo. ¿Te sientes bien?

—No me pasa nada, mamá. Es que... tenía muchos deseos de estar aquí con ustedes.

Mamá se dirigió al fogón de leña,[48] entusiasmada.

—Entonces, ¡voy a ponerme a cocinar! —exclamó—. ¡Esto hay que celebrarlo! Juan nos trajo un cabrito[49] y voy a prepararlo con mole picosito,[50] una cazuela grande de arroz y tortillas calentitas acabadas de amasar.[51] ¿Qué te parece, hijo?

—Me parece estupendo, mamá.

Me puse unos guaraches[52] cómodos, una camisa y un pantalón de trabajo, y salí al patio. Recorrí los alrededores de la casa, y luego me senté debajo del nogal. Estaba tan feliz.

◇

Mi llegada fue una sorpresa para Chalchi, pues no le había anunciado mi visita como lo hacía normalmente, por carta. Nos dimos un abrazo largo. Después caminamos por el pueblo, visitando los viejos rincones de la infancia. Tomamos el tren y llegamos hasta Amecameca, hasta los volcanes.

—¡Cuánto te he extrañado! —le confesé allí.

—Abrázame, Daniel. Así, fuerte.

—Sí, Chalchiunenetl. Me gusta tanto tu nombre.

---

[48]fogón... *wood stove* [49]*young goat, kid* [50]mole... salsa picante hecha de chocolate, cacahuates, chiles y otras especias [51]acabadas... *just made* [52]*huaraches, sandals (Mex.)*

—¿Es todo lo que te gusta de mí?

—Y tus ojos, que me iluminan la vida. Por momentos, cuando los miro, creo ver una luz que viene de tu corazón. Y con esa luz llega tu voz, melodiosa, diciéndome suavemente «te quiero»...

—Mis ojos no mienten, Daniel. Sí te quiero.

Chalchi me contó que había decidido por fin cursar estudios en la universidad, hacerse profesora de literatura.

—Por suerte, papá y mamá apoyan mi decisión —me dijo.

—Te ayudaré con todos los detalles —reaccioné, contento con la noticia—. Viviremos juntos en la capital, como esposos...

—¿Cómo esposos? —preguntó ella, un tanto sorprendida.

Le puse al cuello el collar de obsidiana.

—Sí, Chalchi. Todavía no puedo regalarte un anillo, pero espero que este collar exprese nuestro compromiso. ¿Aceptas ser mi compañera?

Vi lágrimas de alegría en los ojos de mi novia.

—Claro que acepto, Daniel —respondió ella, y me besó—. Mi corazón te pertenece.[53] Te ha pertenecido siempre.

La unión de nuestros cuerpos confirmó la promesa del futuro. Libres nos sentimos en nuestro acto de amor, libres para imaginarnos —para *encarnar*— cualquier fantasía.

—Deberíamos[54] casarnos aquí, al pie de los volcanes —le dije, emocionado—. Una ceremonia que incluya a Popo y a Izta.

---

[53]te... *belongs to you*   [54]*We should*

—El espíritu de dos enamorados...

—No, Chalchi. Simplemente dos montañas que han estado siempre presentes en nuestra vida.

—Entonces, ¿no crees en las leyendas, Daniel?

—Creo que la gente se inventa muchos cuentos. Así es el ser humano, necesita imaginarse cosas. Yo respeto las creencias[55] de los demás, pero...

—Pero ves aquí sólo dos volcanes.

—Dos imponentes volcanes, sí, Chalchi. Mis amigos.

—En cambio yo me imagino toda una historia de grandes amores. Me imagino la unión eterna de una mujer y un hombre...

—Sí, mi querida Chalchi, ya lo sé: el milagro[56] de dos amantes convertidos en montañas.

Nos besamos, y el silencio que llegó después de los besos nos llenó de paz, de contento. Más tarde hablamos del futuro, del hogar y de los hijos.

—Quisiera[57] ofrecerles un mundo ideal a esos niños que tendremos[58] —expresó mi novia—. Sin guerras, sin violencia.

—Yo simplemente quiero enseñarles a sentirse orgullosos de su patria y de su historia.

—La historia está llena de verdades terribles —comentó Chalchi—. Está llena de injusticias, de ambiciones absurdas. ¿De veras quieres que nuestros hijos estén orgullosos de todo eso?

—No, Chalchi. Pero debemos ayudarlos a conocer la realidad.

—La realidad es muchas cosas, Daniel. Es también lo que uno quiere que sea.[59]

—No creo. Hay hechos muy específicos...

---

[55]*beliefs*   [56]*miracle*   [57]*I would like*   [58]*we will have*   [59]*lo... what one wants it to be*

—Mira, ¿por qué no les contamos una historia diferente a esos futuros niños?

—¿Diferente?

—Sí, Daniel. Podríamos inventarles el pasado, imaginarnos un universo perfecto para ellos.

—¿Y qué va a pasar cuando se hagan adultos? Descubrirán que el mundo no es la fantasía de sus padres.

—Pero hasta ese momento, habrán disfrutado de un hermoso sueño.[60]

$$\Diamond$$

Chalchi cerró los ojos y me pidió que hiciera[61] lo mismo.

—No tenemos que esperar a ser padres —comentó—. ¡Podemos empezar a soñar ya!

—¿Soñar con qué? —le pregunté, mis ojos todavía muy abiertos.

—¡Con lo que quieras! Piénsalo, Daniel: Si pudieras cambiar el pasado en honor a tus hijos, ¿qué cambiarías?

—No sé, Chalchi —respondí, indeciso—. Hay tantos eventos... La colonización de México, por ejemplo.

Mi novia me tomó la mano y me la acercó al collar de falsa obsidiana.

—Imagínate, entonces —me dijo—, que este corazón te dará entrada a esa otra realidad...

—Bueno, está bien —reaccioné, queriendo complacerla.[62]

A regañadientes,[63] me dejé llevar por su fantasía. Traté de olvidarme de este mundo y de imaginarme otro. Pero sólo lograba pensar en nuestra boda, en lo felices que seríamos los dos juntos, casados.

---

[60]¡habrán... *they will have enjoyed a beautiful dream!*   [61]que... *to do*
[62]queriendo... *wanting to please her*   [63]A... *Reluctantly*

De pronto me invadió un profundo deseo de dormir, y con los ojos cerrados percibí la fuerza de los volcanes. Sentí después un calor intenso, como el fuego, y me vi a mí mismo viajando al centro y corazón de una montaña.

Salí de ese trance brevemente para hacerle una pregunta a mi novia:

—Chalchi, pero, ¿por dónde empieza uno a reinventar la historia?

Escuché su voz como un susurro:[64]

—Pues, por el comienzo...

---

[64]*whisper*

Parte II

El Templo Mayor en Tenochtitlán.

Uno

scucho una voz de mujer que viene de lejos. *Tozani...* Trato de despertar, pero me pesan los párpados.[1] Siento frío. *Tozani...* Abro por fin los ojos y veo mi cuerpo, casi desnudo. Sólo llevo un taparrabo[2] y estoy acostado en un petate.[3] Busco a la dueña de la voz... *Amado Tozani...* La descubro parada frente a mí.

—Despierta ya —me dice esta muchacha. Habla un idioma extraño que yo, de una manera también extraña, puedo comprender. Sus palabras llegan a mí como filtradas por el aire frío de este cuarto. —Despierta —repite—. Es hora de ir al lago.

La muchacha es joven, hermosa. Tiene el cabello atado atrás,[4] con dos trenzas[5] sobre la frente. Lleva un vestido largo, blanco; en la cintura, un amplio cincho bordado.[6] Le cuelga[7] del cuello un collar con un pequeño corazón de obsidiana. El objeto me llama la atención, pues es muy parecido al que le regalé a mi novia al proponerle matrimonio. Pero al observarlo de cerca, noto que este corazón parece ser de obsidiana pura, y tiene el dibujo de un águila.

La joven me mira; sus ojos son de un verde intenso. Se parece tanto a Chalchi que la llamo por ese nombre, Chalchiunenetl...

—Sí —responde ella—. Has dormido mucho, Tozani.

---

[1]me... *my eyelids are heavy* [2]*loincloth* [3]*sleeping mat* [4]atado... *tied back* [5]*braids* [6]cincho... *embroidered belt* [7]*hangs*

—¿Tozani? Ése no es mi nombre —le digo, confundido.

—Levántate ya, esposo.

¡Me ha llamado «esposo»! Miro a mi alrededor y descubro que no estoy en mi casa. Este lugar es más grande; las paredes son blancas y a lo largo de cada una hay tiestos[8] enormes con flores de varios tipos y colores. Los muebles son escasos pero elegantes, de madera densa: un armario, una mesa baja y dos sillas. Hay una armonía total en este sitio. Por la puerta que da a[9] la calle entra mucha luz. ¿Dónde estoy?

Trato de ordenar mis pensamientos. Pero no puedo, porque escucho la voz tierna de Chalchi y siento sus manos que me acarician.

—Tozani —dice ella—, tuviste malos sueños anoche. Decías palabras que yo no podía comprender. Despierta ya, por favor.

Me muevo, respiro. Tengo los ojos muy abiertos.

—Creo... creo que estoy despierto —reacciono, no muy convencido.

—Cuando regreses de bañarte en el lago, comeremos —anuncia Chalchi—. Voy a amasar *tlaxcalli*,[10] a preparar tu *atolli*.[11]

Mi supuesta esposa se va a otro cuarto, y yo me acuesto otra vez en el petate. ¿Cómo explicar todo esto? Según esta joven, he estado soñando. Si es así, mi verdadera vida —la de Daniel Flores— fue sólo un sueño que tuve anoche. Pero eso es imposible. ¡El sueño es *este* mundo!

—¡Chalchi! —la llamo. Ella aparece ante mí.

—¿Sí, Tozani? ¿Por qué no te has ido al lago ya? No olvides que el Reverendo Padre quiere verte. Tendrás que[12] vestirte de guerra para asistir al Templo Mayor.

---

[8]*flower pots*   [9]*da... leads to*   [10]tortillas   [11]atole (*creamy, corn-based drink*)   [12]Tendrás... *You will have to*

—¿El Reverendo Padre?

—Sí. El señor emperador, Moctezuma.

—¡¿Quién?!

—Ay, Tozani, ese sueño de anoche te ha convertido en otro hombre. ¿Qué te pasa?

—Nada, nada. Pero necesito que me digas algo, Chalchi... ¿En qué año estamos?

—Bien lo sabes: Acatl, el año 1-Caña, el día de 2-Casas.

Intento recordar el calendario azteca. Un escalofrío[13] me invade el cuerpo cuando por fin descifro el significado de esa fecha. *Acatl,* equivalente al año 1519 del calendario cristiano. El día 2-Casas, o sea, el 29, posiblemente del mes de junio. ¡Un mes antes de la entrada de Cortés en Tenochtitlán!

◇

Hay un aroma exquisito que impregna el aire; es un perfume de flores y tierra fresca. Observo la variedad impresionante de plantas que hay en este lugar. Es agradable estar aquí, pero tengo que irme. Quiero darle fin a esta broma de mal gusto,[14] salir y buscar la verdad...

La verdad: ¡El mundo de aquí afuera es totalmente nuevo para mí! Veo una calle muy amplia, y a lo largo de toda la calle está el agua, el hermoso lago que encontraron los antiguos aztecas. Veo gente que camina, gente que sonríe y conversa. Hay hombres en canoas y otros vestidos como yo, de taparrabo y manto; también hombres cubiertos de plumas, vestidos con pieles de tigre. Algunos, los que llevan lanzas,[15] hacen un gesto de reverencia ante mí y siguen su camino.

---

[13]*chill* [14]broma... *nasty joke, prank* [15]*spears*

Si me alejo mucho[16] voy a perderme. Necesito a Chalchi, su guía, sus explicaciones. Regreso a la casa —¿mi casa?— y le pido a mi «esposa» que me acompañe. Ella abandona sus quehaceres, obediente, y sale conmigo.

$$\diamond$$

Los edificios blancos brillan con la primera luz del día. Muchos tienen en sus fachadas frescos de diseños diferentes, mosaicos trabajados en detalle, todos de varios colores. En los techos de cada templo y cada palacio flotan banderas[17] de plumas doradas. Algunas muestran insignias de los dioses y los emperadores de la antigua historia mexicana... ¿Mi historia?

Chalchi señala hacia los volcanes en la distancia, bajo el azul del cielo; sus cimas[18] están cubiertas de nieve. Llegamos a un mercado repleto de gente. Hay comerciantes de legumbres y condimentos, artesanos de las plumas. Hay vendedores de carnes, telas, pieles. Hay animales. Continuamos a paso lento y aparece ante nosotros una plaza enorme. Chalchi sonríe con orgullo y dice algo que no comprendo. Lo repite:

—*Tenochtitlán, Cem-Anahuac Tlali Yoloco.*

Y por fin entiendo lo que me está diciendo en náhuatl: *Éste es el verdadero corazón y centro del único mundo.* Lo pienso y todavía no puedo creerlo. ¡Estoy en México-Tenochtitlán!

Chalchi se detiene frente a una pirámide gigantesca.

—¿Es ésa la Gran Pirámide? —le pregunto. Ella responde que sí; yo continúo—. Ahí dentro está el Templo de Tláloc; también el Templo de Huitzilopochtli, lugar de sacrificios. ¿No es cierto?

---

[16]Si... *If I go very far away*   [17]*flags*   [18]*tops*

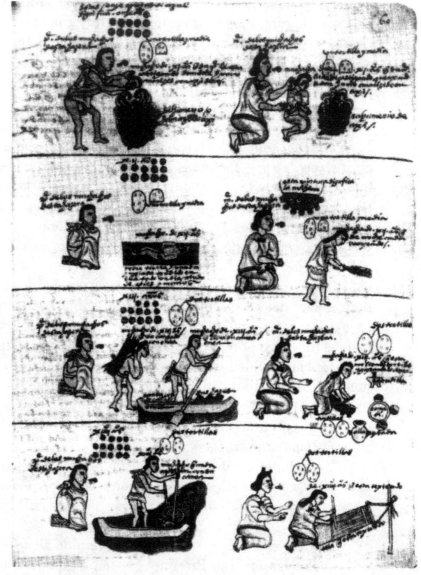

Página del Códice Mendoza que muestra la crianza de los niños aztecas. Las niñas, que se ven al lado derecho, aprendían a cocinar y a tejer desde temprana edad. Al lado izquierdo se ven los varones, quienes desde pequeños empezaban a pescar. Para ambos, la disciplina y el duro trabajo eran parte de la rutina diaria.

—La Gran Pirámide, sí —responde ella—. Ahí han sacrificado a muchos de tus prisioneros de las guerras floridas.

Le pido a mi esposa que me lleve a la Piedra del Sol. Ella cambia de dirección. Nos acercamos a un templo de mármol; es el palacio de Moctezuma. Seguimos caminando, ahora más rápido.

—¿Por qué vas tan de prisa, Chalchi? —le pregunto.

—Porque pronto comenzará la ceremonia —me explica—, y no tenemos tiempo para presenciarla. ¡Te espera el Reverendo Padre!

—¿De qué ceremonia estás hablando?

—La dedicación diaria de Tonatiuh —contesta ella—. El sacerdote va a pedirle protección. Esta vez para ti, Tozani, para tu misión.

$$\diamond$$

Ahora veo por fin la Piedra del Sol, una escultura espléndida. Es como la del museo, sólo que aquí la piedra brilla al aire libre. La imagen de Tonatiuh, dios del sol, es la misma. Tiene la mirada fija en el vacío y la boca abierta, con hambre de corazones. Abajo se ven las colas de dos serpientes, que se juntan en la fecha sagrada de la creación.

—Se acabará este mundo, Chalchi —le digo con tristeza—. Todo lo que ves aquí, esta gran civilización, va a desaparecer.

Chalchi me toma la mano, busca en mis ojos una aclaración. ¿Pero qué voy a decirle? ¿Cómo puedo compartir con ella mi verdad? Simplemente le explico que estamos viviendo la última era, la del quinto sol.

—Lo sé —reacciona ella—. Esta era terminará con una catástrofe. Se acabará el mundo.

—Pero vendrá[19] otro muy distinto a éste. Reinará otro rey y adoraremos a un solo dios.

—¿Un solo dios? ¡No es posible, Tozani!

—Nada podrá[20] evitar el fin. Nada ni nadie.

—¿Ni siquiera los sacrificios?

—Nada, Chalchi.

—¿Viste la catástrofe en tus sueños anoche, Tozani? ¿Te hablaron los dioses?

—Sí, querida mía.

—Fue un sueño que te hizo sufrir mucho, esposo, y que te atormenta todavía. Debes tratar de olvidarlo.

—No, Chalchi. Los sueños del futuro no se olvidan.

$$\diamondsuit$$

Chalchi me lleva a lo largo del lago, hasta llegar a una zona protegida por una pared de barro. Hay una entrada circular, como la boca de una cueva, por donde entran soldados y hombres de diferente edad.

—Debes bañarte ya —me dice Chalchi—. Dame tu manto. ¡Aquí te espero!

Después de darme un baño en el agua fría del lago, regreso a casa con Chalchi. Ella prepara nuestro almuerzo: una porción de *atolli* y dos tortillas. Comemos en silencio. Saboreo la tibia tortilla recién hecha, y la deliciosa crema de maíz llamada *atolli*, que sabe a miel y a limón.

—Conseguí un poco de *octli*, ¿no quieres? —me pregunta Chalchi. Le digo que sí y lo pruebo. Es como un vino blanco, un poco amargo.[21]

Mi esposa se levanta sin haber terminado[22] su comida.

---

[19]*will come* [20]*will be able to* [21]*bitter* [22]*sin... without having finished*

—Se hace tarde —me dice, señalando un traje de plumas que está sobre la mesa—. Te ayudaré a vestirte, Tozani.

—Chalchi, ¿por qué quiere verme Moctezuma?

Ella me mira, exasperada, sin comprender por qué le hago tantas preguntas. Pero a pesar de todo responde:

—El reverendo señor Moctezuma, *Huey-Tlatoani* de los aztecas, quiere encomendarte[23] una misión muy importante.

—Mi misión tiene que ver con los «dioses blancos», ¿verdad?

—Sí, Tozani. En la última reunión del consejo gobernante,[24] nuestro emperador decidió enviar una comisión para recibir a los seres blancos, para llevarles regalos y guiarlos hasta nuestra ciudad. El consejo te escogió a ti para encabezar[25] la comisión.

—Esos seres no son dioses, Chalchi.

—¿Cómo lo sabes?

—Lo sé. Simplemente lo sé.

Chalchi se queda pensativa unos minutos. Luego expresa, agitada:

—Los mensajeros de Moctezuma que han visto[26] a esos seres, cuentan que son grandes de estatura, que llevan la cara cubierta de cabello. Algunos tienen cuatro patas[27] enormes y dos cabezas, una de animal y otra de hombre...

—Son los españoles, Chalchi —le explico, sabiendo que no me entenderá—. Son los soldados de Hernán Cortés.

—Los soldados... ¿de quién?

—De Cortés, un hombre que viene a destruirnos.

—¡No! Moctezuma dice que son dioses. Él piensa que nuestro creador, Quetzalcóatl, ha regresado para recuperar su reino.[28]

---

[23]*to entrust to you*   [24]consejo... *governing council*   [25]*head up, lead*
[26]*seen*   [27]*legs*   [28]*kingdom*

—Está loco el emperador.

—¡Tozani! ¿Cómo te atreves a hablar así de nuestro *Huey-Tlatoani*?

—Debes creerme, Chalchi. Moctezuma está equivocado. Y yo voy a hacerle ver la realidad. ¿Sabes cuántos soldados estarán a mi disposición?

—Todos nuestros guerreros están bajo tus órdenes, Tozani.

—Entonces, soy comandante del ejército.

—Sí. Tienes el título honorable de *Quahtli-Yaoyotl*, Águila de Guerra. Has estado al frente de dos guerras floridas y has ampliado las fronteras de nuestro imperio. Todo el mundo sabe de tus triunfos, del honor que has recibido. Eres el orgullo de tu pueblo, Tozani Quahtli-Yaoyotl.

—Y tú, Chalchi, ¿estás orgullosa de mí?

—Más que nadie.

$$\diamondsuit$$

Honores de guerra, prisioneros sacrificados por mí. ¿Cómo voy a poder asumir esta vida que no es la mía? ¿Cómo voy a poder vivirla, si no la conozco? Trato de recordar todo lo que he leído, las leyendas de Ayapango, los relatos orales, la poesía. Pero en ningún sitio encuentro a Tozani, este personaje en quien me he convertido. ¿Existió de verdad? ¿Por qué no recuerdo un solo dato de su existencia?

Chalchi me quita el manto y lo coloca encima del petate. Luego me acaricia las piernas suavemente. Beso su rostro, sus pechos, la cubro con mis brazos. Ella me susurra algo al oído.

—Tu corazón, el corazón de todo ser viviente...

Hacemos el amor bañados por el aroma de las flores. Estar así con ella es habitar el mismo sol; es fuego, energía, vida. Entre caricias murmura palabras que sí logro recordar.

—Tu voz, la voz del sol, la voz del viento...

Chalchiunenetl me trae un pañuelo[29] blanco bordado; es mi taparrabo.

—Vístete, Tozani —me pide—. El Reverendo Padre te espera.

Con su ayuda, en poco tiempo estoy uniformado. Llevo un traje que se ajusta a mi cuerpo, y pantalones de una sola pieza que me llegan a los tobillos; sandalias doradas, una armadura acolchonada[30] por dentro y un casco[31] de plumas amarillas con un pico de águila.

—¡Qué hermoso te ves, Tozani Águila de Guerra! ¡Estoy tan orgullosa de ser tu sirviente!

—Eres mi compañera, Chalchi, no mi sirviente.

Antes de partir, abrazo y beso a mi esposa. Ella me ofrece su collar de obsidiana.

—¿Quieres llevarlo contigo, Tozani? Así mi corazón estará siempre cerca del tuyo.

—No, querida, no tienes que darme tu collar. Ya llevo tu amor muy dentro de mí, siempre.

Le prometo que regresaré con noticias de los blancos, esos misteriosos seres de otro mundo. Y me marcho.

---

[29]*cloth*   [30]armadura... *padded armor*   [31]*helmet*

Dos

R ecorro el mismo camino que recorrí con Chalchi, hasta llegar al palacio de Moctezuma. Los dos guardias a la entrada me saludan con una reverencia, haciendo el gesto de besar la tierra. Entro y otro soldado me guía. Lo sigo. Nos detenemos[32] ante una puerta enorme que muestra el símbolo del águila y la serpiente. El soldado la abre y me invita a pasar.

Observo, sorprendido, la simplicidad del salón real.[33] El emperador está sentado en un trono de piedra. Lo acompañan dos hombres vestidos de manto; son sus consejeros. Me acerco y hago el gesto de besar la tierra.

—¡*Yyyo Ayyo!* —el emperador me saluda—. He estado esperándote, Tozani. Ya sabes que hoy el sacerdote le pidió a Tonatiuh luz para tu misión.

—Sí, Reverendo Padre. Le estoy muy agradecido.

—Los seres blancos se acercan a nuestra ciudad, Tozani, y todavía no sabemos quiénes son ni por qué están aquí. Mis consejeros piensan que son dioses enviados por Quetzalcóatl. Yo sospecho que se trata del mismo Quetzalcóatl, que ha regresado a recuperar su imperio.

—¿Estás seguro de eso, Señor?

—No. Por eso te envío a ti para recibirlos. Debes ayudarme a entender, a explicar la presencia de esos seres.

---

[32]Nos... *We stop*   [33]salón... *royal hall*

Moctezuma II (1480–1520), emperador de los aztecas desde 1502 hasta 1520, durante la conquista y colonización de México.

—Trataré de hacerlo, Reverendo Padre.

—Se detuvieron al pie de los volcanes. Tu misión es llegar hasta allí y hacer que te entiendan. Explícales que vas para darles la bienvenida. Les ofrecerás regalos y los invitarás a nuestra ciudad. No debes pelear. Recuérdalo: No vas en misión de guerra.

—Entendido, Gran Señor.

Uno de los consejeros le dice algo al emperador en secreto. Después de unos minutos, Moctezuma vuelve a hablarme.

—Vas a quedarte en mi palacio esta noche, Tozani. Mañana a primera luz partirás. Te acompañará el guerrero Ollín como segundo en mando. Tendrás trece soldados a tu disposición.

—¿Por qué tan pocos soldados, Gran Señor?

—Porque no vas a hacer la guerra. Además, el número trece te traerá suerte.

¡Claro! El quinto sol, la era bajo la cual vivieron los aztecas, nació en la fecha ceremonial de 13-Caña. Un número de suerte... ¡Qué ironía!

—Esta noche —continúa el emperador— escogeré yo mismo los regalos que vas a llevar. Te presentarás a los seres blancos y les dirás[34] que eres un noble de mi corte.

El emperador hace una pausa, mira a sus consejeros.

—Es todo, Tozani —me dice—. Puedes irte ya.

Hago una reverencia y salgo del salón real.

◇

Viene hacia mí una muchacha. Me saluda y me guía a través de salones y pasillos. Nos detenemos en una sala con muchas ventanas y flores.

---

[34]les... *you will tell them*

—Éste es tu lugar de descanso, señor —me informa. Luego me muestra las comodidades[35] de mi alojamiento: dos mesas, varias sillas, un enorme armario de madera, candelabros rústicos con una infinidad de velas,[36] y una chimenea.[37]

Pasamos a otro salón. La muchacha señala hacia una plataforma cubierta de mantas y cobijas;[38] es mi cama. Por último, llegamos al baño, que es de apariencia muy moderna: una bañera de azulejos,[39] un inodoro[40] y varios tubos de barro por donde corre el agua.

—Pronto te traigo la comida, señor —me dice la joven, mientras jala una cuerda que cuelga del techo, en la sala principal—. Si necesitas algo, llámame con esta cuerda.

Después de irse la jovencita, me acerco a una ventana y admiro el patio de canales y jardines. La luz del día lo invade todo. Todavía no estoy seguro de lo que estoy haciendo aquí, ni de cómo llegué. No me explico cómo es que entiendo y puedo hablar este idioma antiguo, el náhuatl; cómo he aprendido a comportarme entre esta gente, a ser uno de ellos.

Hago un esfuerzo[41] otra vez por recordar todo lo que sé de este mundo. Pero es inútil; en ningún lugar de mi memoria aparece Tozani. ¿Por qué estoy ocupando su cuerpo y viviendo su vida?

Me dejo caer sobre la cama, que es muy suave. La muchacha regresa y me trae la cena, los platillos más sabrosos y variados que he comido en mi vida. Después de comer vuelvo a la cama y duermo tranquilo, sin sueños.

$$\diamondsuit$$

Ollín, mi segundo en mando, es un hombre musculoso y de gran estatura. A la mañana siguiente, le pido que nos sirva

---

[35]*comforts, amenities*   [36]*candles*   [37]*fireplace*   [38]*blankets*   [39]*tiles*
[40]*toilet*   [41]Hago... *I try, make an effort*

de guía. Él me mira confundido, pues Tozani debe conocer mejor que nadie estas tierras. Tozani es —¿yo soy?— el valiente jefe del ejército azteca. El mandato que acabo de hacerle a Ollín no tiene sentido, pero me obedece, y seguimos sus pasos.

Soportamos[42] el frío de las dos noches que siguen, el calor de los días. Los volcanes, como siempre, se alzan en la distancia. El cielo de este México es de un azul intenso. Pasamos por varios pueblos, casi todos muy pobres. Vemos gente medio desnuda, sucia, hambrienta.

—¡Qué injusticia! —exclamo. Ollín me mira y no dice nada. Sigue adelante con paso firme. Quizás no entienda el por qué de mi exclamación; o quizás sí, y por eso guarda silencio.

¿Puede ver Ollín esta injusticia? ¡Tanta gente explotada por el emperador! La civilización azteca es —*era*— avanzada y poderosa, sí. Pero, como todas las dictaduras, este gobierno abusaba de sus ciudadanos. El emperador exigía altos impuestos[43] y regalos de sus súbditos,[44] castigando a aquéllos que no podían pagar lo requerido, y a aquéllos que pedían más libertad.

Chalchi —la otra Chalchi del futuro— tiene mucha razón. La historia está llena de verdades terribles, de injusticias y ambiciones absurdas. El mundo parece estar dividido entre explotadores y explotados en todos los tiempos. ¿Pero tendrá que[45] ser siempre así?

Una noche, Ollín señala por fin las luces que aparecen a lo lejos. Me informa entonces que nos acercamos al campa-

---

[42]*We endure, put up with*   [43]*taxes* [44]*subjects* [45]*tendrá... will it have to*

mento de los blancos. Doy órdenes de acampar. Mis soldados obedecen, silenciosos.

Al campamento me acompañan Ollín y tres hombres
que cargan los regalos. Vamos guiados por la luz de nuestras
antorchas. Puedo reconocer cada árbol, cada vuelta del camino, cada pedazo de cielo. ¡Ésta es la ruta de los volcanes!

Descubrimos primero los cañones.[46] Y en seguida
vienen a nuestro encuentro cinco soldados españoles, todos
vestidos de guerra; sus trajes se ven gastados,[47] sus cascos
oxidados por la lluvia. Dos de ellos me ponen la boca de sus
armas en el pecho.

—¡Alto! —me gritan—. ¿Qué queréis?[48]

No digo una sola palabra, pues no quiero que sepan
que hablo su idioma. Les muestro las pieles y plumas, el
cacao, las piedras preciosas y, sobre todo, el oro. Hago
gestos de ofrecimiento. Les indico, con las manos, que estos
regalos son para su líder. Ellos sonríen y nos guían hacia
una de las carpas.[49]

Entramos, y allí nos recibe un hombre grueso de barba
roja. Debe de ser Alvarado.[50] Lo acompaña una mujer que
obviamente no es española. Alvarado nos mira, nos ins-
pecciona.

—Pregúntale quiénes son —le ordena a la mujer. Ella
nos habla en náhuatl, y ahora comprendo quién es. Se trata
de Malinche,[51] la intérprete y amante de Cortés.

Le pido a Ollín que conteste, y el guerrero obedece.

—Somos nobles de la corte del emperador Moctezuma
—explica—. Venimos mandados por él para hacerles llegar
estas ofrendas en su nombre. También, si así lo desean,
para guiarlos hasta nuestra capital, Tenochtitlán.

---

[46]*cannons* [47]*worn out, thread-bare* [48]¿Qué... ¿Qué quieren? (*Spain*)
[49]*tents* [50]Pedro de Alvarado (1495–1541), segundo en mando bajo
Cortés en la conquista de México [51]Malinche (c. 1500–¿1527?),
indígena que interpretó para Cortés y con quien el capitán tuvo un hijo

Malinche traduce al español lo que acaba de decir Ollín. Alvarado sonríe satisfecho.

—Entonces —afirma— debéis hablar con el capitán Cortés. ¡Seguidme![52]

$$\diamondsuit$$

Hernán Cortés está acostado sobre una cama improvisada. Se levanta cuando nos ve llegar. Es un hombre de mediana estatura, más bien bajo; tiene pelo negro, barba. Cortés nos saluda amablemente. Nosotros le mostramos los regalos.

—¡Qué bienvenida! —exclama. Luego nos habla por medio de su intérprete Malinche—. Acepto vuestra invitación. Estamos aquí precisamente porque queremos llegar a esa gran ciudad de la que todos hablan.

Cortés sonríe. Está tan cerca, tan a mi alcance.[53] Con un leve corte[54] de mi cuchillo podría acabar con él, cambiar el curso de la historia. Sería tan fácil.

Pero no. Yo no soy asesino, y no puedo culpar a Cortés de todo lo que va a ocurrir —todo lo que *ocurrió*— en México. Su llegada fue parte de un plan mayor, típicamente imperialista, de los reyes de España. Pero aún así, quizás la muerte de este hombre podría posponer la colonización de Tenochtitlán, quizás evitarla... ¡Quién sabe!

---

[52]¡Síganme! (*Follow me!; Spain*)   [53]a... *within my reach*   [54]*cut*

El capitán español Hernán Cortés (1485–1547).

Tres

Después del encuentro con los blancos, regresamos a nuestro campamento. El frío de la noche es intenso, pero los hombres lo resisten sin quejarse.[55] Algunos tienden[56] mantos y se duermen junto a sus lanzas, arcos y flechas.[57] Otros hacen hogueras[58] y se sientan a mirar el fuego. Ollín y yo también hacemos una hoguera y nos acomodamos para recibir su calor.

Tengo que tomar una decisión. ¿Guío a Cortés hasta la capital, haciéndome cómplice de su invasión, o lo destruyo? Sé que él está aquí porque desobedeció las órdenes del rey Carlos; llegó hasta estas tierras por intereses personales. Si destruyo a Cortés, el rey mandará de España a otro explorador, pero ya para entonces estaríamos preparados.

El ejército español es grande. Los españoles tienen sus cañones y caballos, pero no conocen este terreno como nosotros. No saben que podemos arrastrarnos[59] por el suelo como serpientes, llegar hasta ellos y atacarlos. Cortés y sus soldados no esperan agresión de nuestra parte. Quedaron convencidos de que Moctezuma va a abrirles las puertas de la ciudad. ¡La situación es ideal!

El posible plan de ataque: llegar hasta el campamento enemigo y sorprender a los soldados mientras duermen.

---

[55]*complaining*   [56]*spread out*   [57]arcos... *bows and arrows*   [58]*campfires*
[59]*drag ourselves*

Pero tengo tan pocos soldados, y esos pocos no van a comprender la razón de mi desobediencia. Van a temer la ira de Huitzilopochtli, la ira del Reverendo Padre. Además, antes de combatir a sus enemigos, ellos querrán[60] seguir el ritual de la guerra florida y hacer sus ofrendas de guerra. ¿Cómo explicarles que esos hombres no conocen nuestros ritos? Tendría que[61] convencerlos, primero, de que esos seres blancos son nuestros enemigos, y luego hacerles entender que la única manera de ganar es con un ataque secreto, sin anunciar la guerra.

Pero eso sería pelear a traición. Mi plan va en contra de las reglas ancestrales de esta gente. Es deshonroso.[62] Y sin embargo, sólo con una llegada de sorpresa podríamos[63] vencer. Nuestras armas de madera y obsidiana, las *maquahuine*, se harían pedazos[64] contra el fuego de las armas españolas. Mis soldados se quedarían paralizados con sólo mirar a los conquistadores. Los que para mí son hombres a caballo, para los aztecas son seres monstruosos, mitad ser humano y mitad animal.

Tal vez deba ir yo solo, introducirme en la carpa de Cortés y asesinarlo. ¡¿Pero qué estoy pensando?! ¡Yo no soy asesino! Soy estudiante de agronomía y vengo de un tiempo futuro, del siglo veintiuno. Allí, en ese futuro, soy un joven pobre en busca de éxito y felicidad. Aquí, de pronto, encarno a un famoso guerrero condecorado, a un valiente militar con la oportunidad de cambiar el curso de la historia. ¿Qué hago? ¿Actúo como Daniel Flores o como Tozani? ¿Cierro los ojos a esta oportunidad, o trato de evitar la destrucción de Tenochtitlán?

Aceptaré mi misión, mi verdadera misión en este viaje de regreso al año 1-Caña, *Acatl*, 1519. No me queda alternativa.

---

[60]*will want*   [61]Tendría... *I would have to*   [62]*dishonorable*   [63]*could we*
[64]se... *would be smashed to bits*

◇

El menor ruido puede descubrirme.[65] Ya casi llego a la carpa de Cortés. Hay un soldado a la entrada. Le doy un golpe con mi cuchillo de obsidiana y cae inconsciente. Encuentro a Cortés despierto, sentado. Está solo.

—¡Buenas noches! —lo saludo.

Cortés mira el arma que está sobre su cama, da unos pasos.

—¡Un paso más y te apuñalo![66] —le advierto.

—Hablas muy bien nuestra lengua —comenta, y se me acerca.

—Me alegra encontrarte solo —le digo—. Así no habrá[67] testigos de tu muerte, Hernán Cortés.

—¡Qué estúpido eres! —me grita el capitán—. En cualquier momento estarán aquí mis hombres. No vas a escapar con vida.

El español me da una patada y el cuchillo cae lejos de mí.

—Cuerpo a cuerpo[68] —me invita a pelear—. Sin armas, indio. ¡Defiéndete!

Me golpea el estómago y me deja sin aire. Me recupero. Lo golpeo con todas las fuerzas que puedo sacar de mis brazos. El conquistador cae al suelo, vencido. Me tiro sobre él[69] sin darle tiempo a incorporarse. ¡Qué increíble es ver así a Cortés, tan indefenso! ¿Cómo pudo esta persona afectar el destino de tanta gente?

Hernán Cortés: un navegante con grandes sueños y ambiciones. Debajo de su grueso traje de guerra, es sólo un hombrecito bajo y sucio, pálido y delgado, un hombre que en estos momentos me mira y me pide con los ojos que no lo mate.

---

[65]*give me away*   [66]te... *I'll stab you*   [67]no... *there will not be any*
[68]Cuerpo... *Hand-to-hand*   [69]Me... *I throw myself on him*

Agarro[70] mi cuchillo mientras Cortés trata de ponerse de pie. Voy a asesinarlo. *Tengo que matarlo.* Pero... no puedo. ¡No puedo! Yo no soy asesino.

Escucho los pasos de alguien; miro afuera y veo a Malinche, que se acerca a la carpa. Al entrar, corre inmediatamente a ayudar a su amante. Da un grito cuando me ve.

Afuera, muy cerca, se escuchan las voces de los soldados españoles. No hay escapatoria. ¿Moriré así, en el cuerpo de Tozani? Agarro a Malinche y le envuelvo el cuello con mi brazo. El capitán ya está de pie. Me rodean sus soldados.

—Si muero yo —le grito a Cortés— ¡también muere tu amante!

Él mira a la indígena, quien tiembla bajo el filo de mi obsidiana. Quizás al conquistador no le importe la vida de esta mujer. ¿Dará la orden a sus hombres de destruirnos a los dos? Aprovecho los largos minutos que pasan, y salgo de la carpa, sujetando fuertemente a Malinche. Parece que Cortés ha decidido dejarme escapar. Oigo su voz...

—Anda, noble azteca. ¡Corre! Y dile a tu emperador que pronto recibirá nuestra visita.

—Estaremos preparados —respondo.

—¡Tarde o temprano este mundo será mío! —grita él—. Y del rey don Carlos...

—¡Me encargaré yo de impedirlo!

Me subo a un caballo, levantando a Malinche y situándola delante de mí. Galopamos en la profunda oscuridad de la noche mexicana hasta llegar lejos del campamento español. En medio del campo abandono a la silenciosa mujer. Ella conoce bien estas tierras; podrá[71] encontrar el camino de regreso a su señor.

Desesperado, sigo la ruta hasta mi campamento. Voy pensando en otro plan. No pude matar a Cortés, pero quizás

---

[70]*I grab*   [71]*she will be able*

todavía sea posible reescribir el pasado. ¡Si sólo tuviera[72] una idea de quién fue Tozani! ¿Qué hizo por fin? ¿Qué logró?[73]

Lo único que puedo hacer ahora es hablar con Moctezuma, tratar de convencerlo de que está equivocado. ¡Tengo que hacerle ver la realidad!

◇

Hago el gesto acostumbrado de besar la tierra, y me quedo de pie ante el trono del gran Moctezuma. Se ve inquieto, nervioso. No lo acompañan sus consejeros.

—¿Por qué tardaste tanto en venir? —me pregunta—. Sé que llegaste anoche.

—Sí, llegamos anoche, Gran Señor. Estuvimos caminando dos días con dos noches sin parar. Quise descansar un poco antes de venir, para tener fresca la memoria. Tengo que informarte de muchas cosas.

—¡Habla ya! —me ordena, impaciente.

—Señor, hace veinte años que los primeros barcos salieron de la tierra lejana de España para explorar el océano hacia el oeste de sus costas. Los soldados que iban en esos barcos encontraron muchas islas y subyugaron a todos sus habitantes...

Guardo silencio, esperando la reacción del emperador. Me ordena seguir. Continúo:

—Durante los últimos veinte años, los hombres blancos han estado colonizando esas islas, convirtiendo a su gente en esclavos del rey español. Han estado mandando piedras preciosas, metales y semillas aromáticas a su país. La sed de riqueza[74] de estos hombres es insaciable. Su búsqueda[75] los trajo a estas tierras, y ya se acercan a Tenochtitlán.

---

[72]Si... *If I only had*   [73]¿Qué... *What did he accomplish?*   [74]*wealth*
[75]*search, quest*

Vienen dispuestos a tomar posesión de nuestro imperio. ¡A destruirnos!

Moctezuma da unos pasos, sin mirarme.

—Tienes gran imaginación, Tozani —me dice—. Demasiada para un soldado.

—Gran Señor, me pediste información, me pediste ayuda para aclarar este misterio. Pues bien, ¡te estoy diciendo la verdad! El jefe de los blancos no es un dios. Se llama Hernán Cortés y vive como los hombres; se emborracha[76] y se acuesta con mujeres como los hombres...

—¡*Ayyo!* ¡Silencio!

Moctezuma se queda pensando unos minutos.

—Tal parece —comenta, sin mirarme— que has olvidado en qué época estamos, Tozani. Es el décimosegundo[77] mes de nuestro año, *Teotleco*. El mes del regreso de los dioses.

—No, Señor. ¡Escúchame, por favor!

—Ha regresado Quetzalcóatl —anuncia el emperador—. Y debemos preparar el recibimiento.

—¡Gran Señor! —le grito, frustrado—. Vas a cometer un grave error. La invasión de los blancos se acerca.

—¡*Ayyo Ouiya Ayyo!* —Moctezuma exclama, y camina de un lado a otro, enfurecido—. ¡¿Cómo te atreves a decir que estoy errado?!

—Lo que te digo es la verdad, Señor.

—Eres tú quien se equivoca, Tozani.

—No. Yo sé muy bien...

—¡Silencio! Quetzalcóatl dijo que un día iba a regresar, en misión de paz y amor, a recuperar su reino. ¡Y lo has ofendido con tus dudas y tus cuentos! Sólo con sangre se puede limpiar esta ofensa, soldado, sangre del sagrado sacrificio.

—¡Reverendo Padre!

---

[76]se... *he gets drunk*   [77]*twelfth*

—Los dioses blancos van a entrar en esta ciudad muy pronto...

—Más pronto de lo que te imaginas, Señor.

—Y el día de su llegada van a recibir una gran bienvenida. Les abriremos nuestras puertas, y les ofreceremos un regalo: ¡tu corazón!

◇

Los mismos soldados que antes me obedecían, ahora me encierran[78] en una celda[79] oscura. Moctezuma lo ha decidido. Voy a ser sacrificado. Su sentencia:

—No vamos a esperar la llegada de los dioses blancos. Tu sacrificio será mañana mismo, con la primera luz de Tonatiuh.

Tengo frío y hambre. Un guardia me trae comida y la devoro. Pido más; no me hacen caso. Me acomodo en un rincón. Voy a morir en este mundo extraño, una muerte que no me pertenece.[80] En este momento, torturado por la soledad, sólo sé que quiero vivir.

◇

Escucho una voz conocida, suave a mis oídos... *¡Tozani!* Y veo a Chalchi, que corre hacia mí. La abrazo desesperadamente.

—¡¿Qué haces aquí, esposa?!

—El Reverendo Padre me permitió unos segundos a tu lado.

—Van a sacrificarme, Chalchi.

—Lo sé, Tozani. ¡Y quiero irme contigo, morir junto a ti! Nos besamos, llorando.

---

[78]me... *lock me up* [79]*cell* [80]que... *that isn't mine (doesn't belong to me)*

El primer encuentro entre Cortés y Moctezuma en Tenochtitlán.

—No —le respondo—. No puedes acompañarme. Tú no debes morir por mi culpa, por mi desobediencia.

—Mi vida no vale nada sin tu amor, Tozani.

—No digas eso. Tu vida vale mucho.

—¡Déjame ofrecer mi corazón también a Quetzalcóatl!

—Chalchi, querida mía, tengo algo que contarte. Debes escucharme y... creerme.

—Te escucho, Tozani.

—Yo llegué aquí de otro mundo, de un tiempo futuro.

—¿La era de los dioses blancos?

—Sí. En el mundo del que yo vengo, soy estudiante y me llamo Daniel... Daniel Flores.

Chalchi deja de llorar. Me mira con ternura[81] y tristeza.

---

[81]*tenderness*

—Llévame contigo a ese futuro, Tozani.

—Eso no es posible, amada mía. No sé cómo ni por qué llegué aquí. Tampoco sé cómo voy a volver.

—Habla con el dios creador de tu mundo. ¡Pídele a él una respuesta!

—¿A mi dios? Sería en vano, Chalchi.

—¿Por qué?

—Porque aquí, en la ciudad de los aztecas, el dios de mi futuro no existe.

Nos abrazamos. Chalchi me acaricia, me habla en susurros...

—Si es verdad que te llamas Daniel y vienes de otra era, dime, entonces, por qué tienes el cuerpo y la voz de mi esposo.

—No sé. Al principio pensé que la razón de mi viaje era matar al jefe de los blancos, e impedir así la destrucción del quinto sol. Pero no pude realizar ese objetivo, y tampoco voy a poder evitar mi sacrificio.

—¿Por qué viniste, entonces?

—Quizás... quizás viajé a este mundo sólo para evitar tu muerte, Chalchi. ¡Para salvarte! Porque tu vida es más importante para mí que todos los grandes eventos de esta historia.

—Lo que me cuentas es tan extraño, Tozani... Daniel.

—Chalchi, Chalchiunenetl, prométeme que vas a vivir. ¡Júralo!⁸² Júrame que no vas a ofrecer tu corazón a Quetzalcóatl.

—Está bien, te lo juro —me dice ella, llorando—. Viviré para adorar tu recuerdo. Pero acepta mi collar, entonces. Llévalo contigo al otro mundo...

Chalchi se quita su collar de obsidiana y me lo pone en las manos. Observo el hermoso objeto de obsidiana pura, el corazón con su dibujo de un águila majestuosa.⁸³

—Sí, lo acepto, Chalchi —murmuro, y me lo cuelgo.

---

⁸²*Swear it!*   ⁸³*majestic*

—Porque seas quien seas,[84] mi corazón te pertenece sólo a ti... esposo.

Cinco soldados me sujetan fuertemente. Me llevan a lo largo de la plaza, hasta la Gran Pirámide. Escucho los gritos de la gente. *¡Ayyo Ouiyya!* Se despiden del bravo guerrero Águila de Guerra, quien tuvo el valor de desobedecer al gran Huey-Tlatoani Moctezuma.

Entramos en el templo de Huitzilopochtli. Está oscuro y apesta a sangre seca. Encienden varias antorchas y me atan[85] a la piedra de los sacrificios. Cierro los ojos, exhausto, vencido. Me desnudan con violencia. Sobre el suelo, a mi lado, colocan mis armas.

Los soldados se van. Aparece entonces un hombre vestido de plumas, maquillado de blanco. Es el sacerdote. En la mano derecha sujeta un cuchillo de obsidiana. Detrás de él viene Moctezuma, quien hace un gesto con la mano.

—*¡Yya Ayya Ouiya!* —grita el sacerdote, mirando hacia el cielo—. Para ti, Huitzilopochtli. El corazón de este guerrero va a saciar tu hambre.

—*¡Yya!* —grita el emperador—. Para ti, Quetzalcóatl, un corazón que guíe tu llegada a Tenochtitlán, a este centro del universo y... ¡de tu imperio!

—Estamos preparados —me dice el sacerdote— para concederte un último deseo, Tozani. ¡Habla, guerrero!

Sé que debo pedir el honor de esta muerte. Eso es lo que esperan de mí. Ir en contra del ritual es condenarme a la oscuridad eterna. Debo decir que mi último deseo es recibir el honor de la muerte florida. Debo afirmar que me alegro de morir en este momento, en esta era gloriosa iniciada en el año 13-Caña, era del Quinto Sol. Debo aceptar

---

[84]seas... *whoever you are*   [85]me... *they tie me*

El sacrificio a Tonatiuh, dios del sol.

el puñal[86] de obsidiana en mi pecho. Pero no puedo. Porque yo no soy Tozani.

—Sí, tengo un último deseo —grito, con temblor en la voz—. ¡Quiero vivir! ¡No quiero esta muerte injusta!

Moctezuma viene a mi lado. Sus ojos están encendidos. Da una orden y el sacerdote levanta el brazo. Le tiembla la mano que sujeta el cuchillo. En cualquier momento caerá sobre mi pecho y me sacará el corazón.

—¡Quiero vivir! —grito.

Siento dolor en todo el cuerpo; es como una pequeña serpiente que viaja por mi sangre, devorándome. Luego me invade el sueño. *¡Vivir!* Me hundo.[87] Trato de salir de este trance de muerte para llamar a mi esposa, pero ya no tengo voz. Siento frío, un frío que me congela. *¡Vivir!*

Me hundo hasta el centro y corazón de una enorme montaña.

---

[86]*dagger*   [87]Me... *I sink*

Parte III

Los volcanes Popocatépetl e Iztaccíhuatl.

*E*scucho una voz de mujer que pronuncia mi nombre... *Daniel.* ¡Mi verdadero nombre! Tengo frío. Me cubro con la cobija y siento un calor confortante. La voz se hace más fuerte... *¡Daniel!* Abro por fin los ojos y veo a mi madre sentada a mi lado.

—¡Mamá!

—¿Quieres un cafecito, hijo?

—Sí, sí...

—¿Dormiste bien?

—Más o menos. Tuve un sueño increíble.

—Soñaste con Chalchi, ¿verdad?

—Sí. ¿Cómo lo sabes?

—Es que murmuraste varias veces su nombre.

Trato de recordar los sucesos[1] del día anterior, el día de esta realidad, no la de Tozani. Y recuerdo claramente que estaba con Chalchi ayer. Sí, me quedé dormido a su lado, al pie de los volcanes. Me dormí tratando de imaginar ese mundo nuevo que ella quiere inventarles a nuestros hijos. ¡Y qué mundo logré imaginarme!

Lo que no recuerdo es cómo y cuándo llegué aquí. Obviamente, Chalchi y yo nos separamos en algún momento y cada cual se fue a su casa... Pero, bueno, esos detalles no importan. Estoy otra vez en Ayapango, en el siglo veintiuno, y he vuelto[2] a la vida de Daniel Flores. Eso es lo importante. He vuelto a mi vida.

—Chalchi pasó por aquí temprano esta mañana —me informa mi madre—. Pero no quiso despertarte. Te trajo atole. ¡Se veía tan contenta! Me dijo que te espera donde los volcanes, que no se moverá de allí hasta que llegues.

—Mamá —le digo, abrazándola—, Chalchi y yo... nos hemos comprometido[3] para casarnos.

---

[1]actividades, eventos   [2]*returned*   [3]nos... *we're engaged*

—¡Ay, hijo, qué buena noticia!

—Todavía no hemos decidido la fecha, pero será pronto.

—Pues no me sorprende la noticia, Daniel. Ustedes se quieren tanto, desde que eran chamaquitos.[4] De hecho, a veces pienso que ya estaban unidos antes de nacer.

—Yo estoy totalmente seguro de eso, mamá.

—Qué ideas tan raras se nos ocurren, ¿verdad, hijo?

—Sí —reacciono, riéndome—. ¡Qué ideas!

◇

Recorro la casita de mis padres. Nada ha cambiado. Ahí están las dos vacas, el caballo, el maíz, el nogal. Y mi querida madre, quien me prepara una taza de café fuerte y dulce.

Nada ha cambiado aquí afuera. Pero dentro de mí...

Aliviado por la calma de la mañana y feliz de estar vivo, repaso los detalles de mi extraño viaje. Y viene a mi mente, por fin, la leyenda del guerrero Tozani, una de las más populares en Ayapango. ¿Por qué no podía recordarla en mi sueño?

Según la leyenda, el desobediente Tozani fue sacrificado junto a su esposa, porque ella pidió morir con él. Pero al momento de su muerte, los amantes recibieron un gran premio. La diosa del amor, Xochiquétzal, los convirtió en volcanes.

Por la ventana veo en la distancia a mis dos viejos amigos, Iztaccíhuatl y Popocatépetl. Allí, junto a ellos, me espera Chalchi para unir su vida a la mía. Me imagino que allí también están el guerrero y su amada, eternamente juntos.

---

[4]niños (*coll. Mex.*)

En mi maravilloso sueño, yo era ese hombre y estaba casado con una joven y hermosa mujer. ¡Una mujer que yo pude salvar! Sí, aquella Chalchiunenetl me prometió que iba a vivir, que no se entregaría al sacrificio. *Porque mi corazón te pertenece sólo a ti...*

$$\diamond$$

Me desvisto[5] para darme un baño y descubro que llevo puesto el collar de Chalchi. Seguramente mi novia me lo puso ayer mientras dormía. Me lo quito, lo miro, y entonces me doy cuenta de un detalle extraordinario: El corazón es de obsidiana, pura obsidiana, ¡y tiene el dibujo de un águila!

No, no puedo creerlo. Aquel collar de Chalchi —la otra Chalchi del pasado— está aquí en mis manos. Sé que es imposible que lo tenga, pero no cuestiono su existencia. ¿Qué ganaría con eso? Quiero aceptar este regalo fantástico sin preguntas ni explicaciones, pues ahora es parte de la historia... de nuestra pequeña historia.[6]

---

[5]Me... *I undress*   [6]de... *our personal history* (*lit., our small history*)

Epílogo

La figura del guerrero Tozani Águila de Guerra es legendaria, mítica. No hay ningún dato histórico que corrobore su existencia. Sin embargo, para muchos habitantes de Ayapango, Tozani es el más real de todos los personajes del Descubrimiento.[1]

Según los relatos orales de Ayapango, Hernán Cortés pasó por el pueblo en su ruta hacia Tenochtitlán. Un mensajero viajó a la capital y le contó al emperador de aquellos seres monstruosos, mitad hombre y mitad animal, con armas que vomitaban fuego. La orden del emperador fue no hacer resistencia, pues pensó que se trataba del regreso de Quetzalcóatl. Mandó una comisión a encontrar a los blancos, y al frente puso a un joven guerrero llamado Tozani.

Tozani nunca creyó que aquellos hombres barbudos[2] fueran[3] dioses. Desobedeció al emperador y trató, inútilmente, de matar a Hernán Cortés. Luego regresó a Tenochtitlán y habló con Moctezuma. Le dijo que aquellos invasores eran seres humanos. Le contó del mal olor de sus cuerpos, de su obsesión por el oro. Aquellos «dioses» no reaccionaban al nombre de Quetzalcóatl ni de Tenochtitlán, y se comunicaban en una lengua extraña muy diferente al náhuatl.

---

[1]*Discovery (Conquest of the Americas)*   [2]*bearded*   [3]*were*

El valiente guerrero le advirtió al Reverendo Padre que debía prepararse para combatir a los invasores, porque venían a destruir a los aztecas. Pero Moctezuma se enfureció, no sólo porque Tozani le había desobedecido, sino también porque ahora el dios Quetzalcóatl estaría ofendido y dejaría caer sobre Tenochtitlán su furia.

Para contentar a Quetzalcóatl, Moctezuma mandó otra comisión cargada de regalos: semillas de cacao, piedras preciosas, plumas y especialmente oro. Quiso también limpiar la ofensa cometida por Tozani, sacrificándolo en la Gran Pirámide.

◇

Tozani estaba casado. Su esposa se llamaba Chalchiunenetl y, a petición de ella, fue sacrificada junto a su esposo. Sus corazones fueron guardados, y luego presentados a Hernán Cortés cuando éste llegó por fin a la capital azteca.

Muchas personas de Ayapango piensan que el espíritu de Chalchi vive aún en el volcán Iztaccíhuatl, y que el de Tozani habita el centro y corazón de Popocatépetl.

Vocabulario

*T*he Spanish-English vocabulary contains all the words that appear in the text, with the following exceptions: 1) most close or identical cognates; 2) most conjugated verb forms; 3) diminutives in **-ito/a**; 4) absolute superlatives in **-ísimo/a**; 5) most adverbs in **-mente**; 6) personal pronouns; 7) cardinal numbers. Only the meanings that are used in the text are given.

The gender of nouns is indicated, except for masculine nouns ending in **-o** and feminine nouns ending in **-a.** Stem changes and spelling changes are indicated for verbs: **dormir (ue, u); llegar (gu).** Consult a grammar textbook for the proper conjugation of verbs.

The following abbreviations are used.

Amer.	American	*n.*	noun
adj.	adjective	*obj. of prep.*	object of preposition
adv.	adverb		
Carib.	Caribbean	*p.p.*	past participle
coll.	colloquial	*P.R.*	Puerto Rico
conj.	conjunction	*pl.*	plural
f.	feminine	*poss.*	possessive
form.	formal	*prep.*	preposition
inf.	infinite	*pron.*	pronoun
interj.	interjection	*rel.*	relative
irreg.	irregular	*sing.*	singular
m.	masculine	*Sp.*	Spain
Mex.	Mexican	*v.*	verb

abajo below, underneath

abierto/a (*p.p. of* **abrir**) open; opened

abono fertilizer

abrazar (**c**) to hug; **abrazarse** to hug each other

abrazo hug

abreviar to reduce, shorten

abrir (*p.p.* **abierto/a**) to open

abundar to abound

aburrido/a boring

aburrir to bore

acabar(se) to finish, end; **acabar con** to put an end to, kill; **acabar de** + *inf.* to have just (*done something*)

acalorado/a heated

acampar to camp; (*coll.*) to halt and rest

acariciar to caress

acercarse (**qu**) (**a**) to approach, come near (to)

aclaración *f.* clarification, explanation

aclarar to clarify, explain

acolchonado/a padded

acomodarse to find or settle into a comfortable position

acompañar to accompany

acontecimiento event, occurrence

acordarse (**ue**) (**de**) to remember

acostarse (**ue**) (**de**) to lie down

acostumbrado/a customary; **más de lo acostumbrado** more than usual

acostumbrarse a to become accustomed to

actualizar (**c**) to bring up-to-date

acuerdo agreement, accord; **estar** (*irreg.*) **de acuerdo** to be in agreement; **ponerse** (*irreg.*) **de acuerdo** to agree

adelante ahead

además moreover, besides

adentro inside

adivinar to guess, predict

adonde where

adquirir (**ie**) to acquire

advertir (**ie, i**) to warn

aereo/a air, aerial

afuera *adv.* outside

afueras *n. f.* outskirts, suburbs

agarrar to grab

agitado/a excited; disturbed

agradecer (**zc**) to be thankful for

agregar to add

agronomía agriculture, farming

agua *f.* (*but* **el agua**) water

águila *f.* (*but* **el águila**) eagle

ahí there

ahora now

ahorrar to save

aire *m.* air; **al aire libre** outdoors

ajustarse (**a**) to fit (on)

alarmarse to become alarmed

alcance *m.:* **a mi alcance** within my reach

alegrarse (**de**) to be glad (about)

alegría happiness

alejarse to go far away

algo something; **¿te pasa algo?** is something the matter with you?

alguien someone, anyone

algún, alguno/a some, any

aliviarse to get relief

alivio relief

allá there; **para allá** over there

allí there; **por allí** around there

alma *f.* (*but* **el alma**) soul

almacenado/a stored

almorzar (**ue**) (**c**) to have lunch

almuerzo lunch

alojamiento housing, lodging

alquilar to rent

alrededor de around

alrededores *m.* outskirts, environs; **a mi alrededor** around me

alto/a tall; high; **¡alto!** *interj.* halt!; **altos y bajos** ups and downs; **en voz alta** aloud

alucinación *f.* hallucination
alzar (**c**) to rise
amable kind
amado/a beloved
amante *m., f.* lover
amargo/a bitter
amarillo/a yellow
amasar to knead; to mix
ambiente *m.* atmosphere
ambos/as both
amenazar (**c**) to threaten
amigo/a friend
amistoso/a friendly
amor *m.* love
ampliar to extend, enlarge
amplio/a wide
¡anda! *interj.* come on!
andar (*irreg.*) to walk
anillo de compromiso
  engagement ring
ánimo spirit, energy; **estar** (*irreg.*)
  de ánimo para + *inf.* to be in
  the mood to (*do something*)
anoche last night
ansiedad *f.* anxiety
ansioso/a anxious
ante before, in front of
antepasado/a ancestor
anterior previous
antes de before; **antes (de) que**
  conj. before
antiguo/a former; ancient
antología anthology
antorcha torch
antropología anthropology
anunciar to announce
año year; **hace (dos) años** (two)
  years ago; **tener** (*irreg.*)**... años**
  to be . . . years old
aparecer (**zc**) to appear
apariencia appearance
apasionar to excite; to fill with
  enthusiasm
apenas barely
apestar (**a**) to stink, to smell (of)

apoyar to support
apreciar to appreciate
aprender to learn; **aprenderse de**
  memoria to memorize
aprensión *f.* apprehension
aprovechar to take advantage of
apuntar to point, aim; to write down
apuñalar to stab
aquel, aquella that (*over there*)
aquellos/as those (*over there*)
aquí here; **aquí mismo** right here;
  ¡fuera de aquí! *interj.* get out of
  here! **por aquí** around here
árbol *m.* tree
arco bow
ardiente burning
ardilla squirrel
arepa (*P.R.*) cornmeal griddle cake
arma *f.* (*but* **el arma**) firearm,
  weapon
armadura frame, framework
armario chest of drawers
armonía harmony
arrastrar to drag
arriba up
arroz *m.* rice
arruga wrinkle
artesano/a craftsperson
asesinar to murder
asesino/a murderer
asfixiar to smother
así *adv.* so, thus; like this; **así que**
  conj. so (that)
asiento seat
asistir (**a**) to attend
aspecto appearance
asumir to assume
asunto topic
asustado/a frightened
atacar (**qu**) to attack
ataque *m.* attack
atar to tie, tie up
atender (**ie**) to wait on, serve
atolli (*Mex.*) *m.* creamy, corn-
  based drink

atractivo *n.* attraction; **atractivo/a** *adj.* attractive
atraer (*like* **traer**) to attract
atrapar to catch
atrás *adv.* behind
atreverse a + *inf.* to dare to (*do something*)
aun *adv.* even
aún *adv.* still, yet
aunque although
autodidacta self-taught (*person*)
autónomo/a autonomous
autor(a) author
avanzar (**c**) to advance
avenida avenue
averiguar (**gü**) to verify, investigate
ayer yesterday
ayuda help
azotea flat roof, attic
azteca *m., f.* Aztec
azul blue
azulejo tile

bajarse to go down, descend
bajo *prep.* under
bajo/a *adj.* low; short (in height);
   altos y bajos ups and downs
banco bank
bandera flag
bañarse to bathe; to swim
bañera bathtub
baño bath, bathroom
barato/a cheap
barba beard
barbudo/a heavily bearded
barco boat
barro mud; clay
basarse to be based
bastante quite a bit
batalla battle
bebida drink, beverage
bello/a beautiful
bendito: ¡**ay, bendito!** (*P.R.*)
   interj. dear Lord! (*expressing pain, surprise, or pity*)

besar to kiss
beso kiss
bienvenida *n.* welcome; **dar** (*irreg.*)
   la bienvenida to welcome
bienvenido/a *adj.* welcome
billete *m.* bill (*currency*); ticket
blanco/a white
boca mouth
boda wedding
bonito/a pretty
bordado/a embroidered
borrar to erase
botones *m. sing., pl.* bellhop
bravo/a fierce; brave
brazo arm
breve brief, short
brillar to shine
broma joke
brotar to spring, gush (*water*)
buen, bueno/a *adj.* good; **buenas
   noches** good evening, good night
buscar (**qu**) to look for
búsqueda search

caballero gentleman
caballo horse
cabello hair
cabeza head
cabo: al cabo de at the end of
cabrito kid (*young goat*)
cacao cocoa
cada each, every
caer (*irreg.*) to fall
café *m.* coffee; café
cafetín *m.* small coffee shop
cajero/a cashier
caliente hot
caliza: piedra caliza limestone
callar to be quiet
calle *f.* street
calor *m.* heat; **hace calor** it's hot
   (*weather*)
cama bed
cambiar to change
caminar to walk

caminata long walk; **dar** (*irreg.*) **una caminata** to go for a long walk
camino road, path
camión *m.* truck
camionero truck driver
camisa shirt
campamento camp, campsite
campesino/a *n.* peasant; *adj.* country
campo field
canoa canoe
cansado/a tired
cansancio tiredness, weariness
caña reed; *year on the Aztec calendar*
cañón *m.* cannon
cara face
carga cargo, freight
cargar (**gu**) to carry; **cargar de** to load with
Caribe *m.* Caribbean
caricia caress
carnal carnal, of the flesh
carne *f.* meat
carpa tent
carrera career; course work for a degree
carretera highway
carro car
cartera wallet
casa house
casarse (**con**) to get married (to)
casco helmet
casero/a *adj.* domestic, homemade; **comida casera** home cooking
casi almost
caso: hacer (*irreg.*) **caso** to pay attention
castaño/a chestnut-colored
casualidad *f.* coincidence
caza: de caza hunting
cazuela casserole, stewpot
celda cell
cena dinner, supper
centro center; downtown
cerca *adv.* near, nearby; **cerca de** *prep.* near

cerrar (**ie**) to close
cerveza beer
chamaquito/a (*Carib. & Mex.*) little kid (*child*)
chévere (*Cuba, P.R., coll.*) great, terrific
chimenea chimney
choque *m.* shock
chuparse: para chuparse los dedos *coll.* finger-licking good
cicatriz *f.* (*pl.* **cicatrices**) scar
ciego/a blind
cielo sky; heaven
cierto/a certain, true
cima summit
cincho belt
cintura waist
ciudad *f.* city
claridad *f.* clarity
claro (**que sí**) *interj.* of course
clima *m.* climate
cobija (*Latin Amer.*) blanket
coche *m.* car
cocina kitchen
cocinar to cook
cocinero/a cook, chef
códice *m.* manuscript
cola tail
colgar (**ue**) (**gu**) to hang
colina hill
collar *m.* necklace
colocar (**qu**) to place, put
colonizador/a colonizer
comandante *m.* commanding officer
combatir to fight
comenzar (**ie**) (**c**) to begin
comer to eat; **comerse** to eat up
comerciante *m., f.* businessperson
cometer to commit
comida food; meal; **comida casera** home cooking
comienzo beginning
comisión *f.* committee
comodidad *f.* comfort
cómodo/a comfortable

compañero/a companion
compartir to share
complacer (zc) to please
cómplice *m., f.* accomplice
comportarse to behave
comprar to buy
comprender to understand
compresa compress, cold pack
comprometerse (con) to become engaged (to)
compromiso: anillo de compromiso engagement ring
comunicarse (qu) to communicate (with one another)
con with
conceder to grant
concentrarse to concentrate on, focus on
concluir (y) to conclude
condecorado/a decorated
condenar to condemn
conducir (*irreg.*) to drive
conductor(a) driver
confesar (ie) to confess
confianza confidence, trust
confiar (confío) (en) to trust
conformarse to resign oneself
confortante comforting
confundido/a confused
congelar to freeze
conmigo with me
conocer (zc) to know; to meet
conocimiento knowledge, understanding
conquistador *m.* conqueror
conquistar to conquer
conseguir (i, i) (g) to obtain, get
consejero/a adviser
consejo advice
construir (y) to build
contaminado/a polluted
contar (ue) to tell (*a story*)
contentar to please
contento/a happy
contestar to answer

contigo with you
contra against; **en contra de** against
contrariado/a *adj.* upset, annoyed
convertirse (ie, i) en to become, turn into
convincente convincing
corazón *m.* heart
correr to run
corroborar to corroborate
corromper to corrupt
corte *m.* cut; *f.* court (*royal*)
corto/a short (*in length*)
cosa thing
cosecha harvest
costa coast
cotidiano/a daily
creador(a) creator
crecer (zc) to grow
creencias beliefs
creer (y) to believe, think; **no creo** I don't think (so)
crianza raising, breeding
criar to raise
criticar (qu) to criticize
cuadro painting
cual *rel. pron.* which; who
cualquier any
cuando: de vez en cuando once in a while
cuánto/a how much; *pl.* how many
cuarto room
cuarto/a fourth
cuate/a (*Mex.*) buddy, pal
cubierto/a (*p.p. of* **cubrir**) covered
cubrir (*p.p.* **cubierto/a**) to cover
cuchillo knife
cuello neck
cuenta: darse (*irreg.*) **cuenta (de)** to realize
cuento short story
cuerda rope
cuerpo body
cueva cave
culpar to blame

cultivo cultivation

cultura culture; **pluralidad** (*f.*) **de culturas** cultural pluralism

cuñado/a brother-in-law/sister-in-law

cursar estudios to take classes

curso course

dar (*irreg.*) to give; **dar fin a** to destroy, finish off; **dar la bienvenida** to welcome; **dar las gracias** to thank; **dar miedo** to scare; **dar una caminata** to go for a long walk; **dar unos pasos** to take some steps; **darse cuenta** (**de**) to realize

dato fact

debajo de underneath

deber *m.* duty

deber to owe; **deber** + *inf.* should, ought to, must (*do something*)

decimosegundo/a twelfth

decir (*irreg.*) (*p.p.* **dicho/a**) to say, tell; **querer** (*irreg.*) **decir** to mean

decisión *f.* decision; **tomar una decisión** to make a decision

dedicarse (**qu**) to dedicate oneself (to)

dedos: para chuparse los dedos (*coll.* finger-licking good)

defenderse (**ie**) to defend oneself

dejar to leave; to let, allow; **dejar de** + *inf.* to stop (*doing something*)

delante *adv.* in front; **delante de** *prep.* in front of

delgado/a thin

demás: los/las demás the others

demasiado *adv.* too (much)

demasiado/a *adj.* too much; *pl.* too many

demostrar (**ue**) to demonstrate

dentro: (por) dentro inside

derecho/a *adj.* right

desacuerdo disagreement, discord

desaparecer (**zc**) to disappear

descansar to rest

descanso rest

descender (**ie**) to descend

descifrar to decipher

desconocido/a stranger

describir (*p.p.* **descrito/a**) to describe

descubrimiento discovery

descubrir (*p.p.* **descubierto/a**) to discover

desde *prep.* from, since; **desde que** *conj.* since

desear to desire, wish

desenfocado/a out of focus

deseo desire, wish

desesperado/a desperate

deshabitado/a uninhabited

desilusionado/a disappointed

desmayarse to faint

desmayo fainting spell

desnudar to undress, strip

desnudo/a nude

desobedecer (**zc**) to disobey

desolado/a desolate

despedirse (**i, i**) (**de**) to say good-bye (to)

despertar(se) to wake up

despierto/a awake

después *adv.* afterward; **después de** after

destruir (**y**) to destroy

desventaja disadvantage

desvestirse (**i, i**) to undress

detalle *m.* detail

detenerse (*like* **tener**) to stop

detenidamente at great length

detrás de behind

devolver (**ue**) (*p.p.* **devuelto/a**) to return (*something*)

devorar to devour

día *m.* day; **hace... días** ... days ago; **hoy (en) día** nowadays

diablo devil; **para qué diablos** why the devil

diario/a daily

dibujo drawing
dictadura dictatorship
difícil difficult
digno worthy
dinero money
dios(a) god/goddess; **por Dios** for heaven's sake
dirigirse (j) to head toward
diseñar to design, draw
diseño design
disfrutar de to enjoy
dispuesto/a (*p.p. of* **disponer**) ready, willing
distinguir (g) to distinguish
distinto/a different
distraerse (*like* **traer**) to be distracted
divertirse (ie, i) to have a good time
doler (ue) to hurt
dolor *m.* ache, pain
domingo Sunday
dominio dominion
don *title of respect used with a man's first name*
dorado/a golden
dormido/a asleep
dormir (ue, u) to sleep; **dormirse** to fall asleep
duda doubt; **sin duda** undoubtedly
dueño/a owner
dulce sweet
durante during
durar to last
duro/a hard

e and (*used instead of* **y** *before words beginning with* **i** *or* **hi**)
edad *f.* age
edificio building
ejemplo: por ejemplo for example
ejército army
embargo: sin embargo however, nevertheless
emborracharse to get drunk

emperador *m.* emperor
empezar (ie) (c) to begin; **empezar a** + *inf.* to begin to (*do something*)
empleo job
emprender to begin, to set about
enamorarse (de) to fall in love (with)
encabezar (c) to head, lead
encantar to enchant, charm
encargarse (gu) de to take charge, take on the responsibility (*of/for something*)
encarnar to embody
encender (ie) to light; to turn on (*radio*)
encerrar (ie) to enclose
encima de on top of
encomendar (ie) to entrust
encontrar (ue) to find
encuentro meeting
enemigo/a enemy
energía energy
enfermo/a sick
enfurecerse (zc) to become furious
enorme enormous
ensalada salad
enseñar to teach; to show
entender (ie) to understand
entonces then, next
entrada entrance
entrar (en) to enter, go in
entre between, among
entregar (gu) to turn over, hand over
entusiasmado/a enthusiastic
enviar (envío) send
envolver (ue) (*p.p.* **envuelto**) to wrap, wrap up
época epoch, age
equivocado/a mistaken
era era, age
escalofrío shiver
escapar to escape
escapatoria escape, flight

escaso/a scarce
esclavo/a slave
escoger (**j**) to choose
escribir (*p.p.* **escrito/a**) to write
escritor(a) writer
escritura writing
escuchar to listen (to)
escultura sculpture
ese/a *adj.* that
ése/a *pron.* that one
esfuerzo effort
eso *pron.* that, that thing; **por eso**
  that's why
esos/as *adj.* those
espacio space
español *n. m.* Spanish (*language*)
español(a) *n.* Spaniard; *adj.*
  Spanish
especialidad *f.* specialty
espejo retrovisor rearview mirror
espera waiting
esperar to wait (for); to hope; to
  expect
espíritu *m.* spirit
espontáneo/a spontaneous
esposo/a spouse; husband/wife
establo stable
estación *f.* station; **estación de
  tren** train station
estado state
estadounidense originating from
  or relating to the United States
estampa illustration, engraving
estar (*irreg.*) to be; **estar a punto
  de** + *inf.* to be about to (*do
  something*); **estar de acuerdo** to
  be in agreement; **estar de ánimo
  para** + *inf.* to be in the mood to
  (*do something*)
estatua statue
estatura height; **de mediana
  estatura** of medium height
este/a *adj.* this
éste/a *pron.* this (one)
estimular to stimulate

esto *pron.* this, this thing
estómago stomach
estos/as *adj.* these
éstos/as *pron.* these (ones)
estrella star
estudiante *m., f.* student
estudiar to study
estudio study; **cursar estudios** to
  take classes
estupendo/a stupendous
estúpido/a stupid
eterno/a eternal
evitar to avoid
exagerar to exaggerate
exasperado/a exasperated
exclamar to exclaim
excluir (**y**) to exclude
exhausto/a exhausted
exigir (**j**) to demand, require
éxito success
éxodo exodus
experimentar to experience
explanada esplanade (*level, open
  space of ground*)
explicación *f.* explanation
explicar (**qu**) to explain
explorador(a) explorer
explotar to exploit
extinto/a extinct
extrañar to miss, long for
extraño/a *n.* foreigner, alien; *adj.*
  strange

facción *f.* gang, band; faction
fachada façade
fácil easy
faenas chores
falda skirt
falo phallus, penis
faltar to be lacking
fascinado/a fascinated
favor: por favor please
fecha date
felicidad *f.* happiness
feliz (*pl.* **felices**) happy

fertilidad *f.* fertility
fiesta party
figurilla small figure
fijar to fix, set (*date*)
fijo/a fixed, unmoving
Filosofía y Letras Humanities
filósofo philosopher
filtrado/a filtered
fin *m.* end; **dar** (*irreg.*) **fin a** to destroy, finish off; **en fin** in short, in brief; **por fin** finally
fingir (**j**) to pretend, feign
flamboyán *m.* (*P.R.*) type of red-blossomed tree that grows in the Caribbean
flecha arrow
flor *f.* flower
floreado/a floral
florido/a florid, flowery; **guerra florida** Aztec war (*hunt for sacrificial victims*)
flotar to float
fogón *m.* (**de leña**) (wood) cooking stove
foto *f.* photo
francés *n. m.* French (*language*)
francés, francesa French
frecuencia: con frecuencia frequently
frente *f.* forehead; *m.* front; **al frente** in front
frente a in front of, facing
fresco type of painting
fresco/a fresh; cool
frío/a cold; **tener** (*irreg.*) **frío** to be cold
frito/a (*p.p. of* **freír**) fried
frontera border
frustrado/a frustrated
fuego fire
fuera outside, out; ¡**fuera de aquí!** *interj.* get out of here!
fuerte strong
fuerza force
fundar to found, establish

ganar to win
ganas: tener (*irreg.*) **ganas de +** *inf.* to feel like (*doing something*)
gandules *m.* olive-green legumes, rich in iron, that are cooked in stews; pigeon peas
garganta throat
gastado/a worn-out, shabby
gasto expense
general: por lo general in general
generoso/a generous
gente *f. sing.* people
gesto gesture
gigantesco/a gigantic
gobernante governing
golpe *m.* strike, blow
golpear to hit, strike
gordo/a fat
grabado/a engraved; recorded
gracias thank you; **dar** (*irreg.*) **las gracias** to thank; **gracias a** thanks to
gracioso/a charming
gran, grande great; big; **la Gran Manzana** the Big Apple (*New York City*)
granja farm
grasa fat; grease
grave serious
gritar to shout, yell
grito shout; scream
grueso/a thick; stout
guante *m.* glove
guantera glove compartment
guarache *m.* (*Mex.*) leather sandal, huarache
guardar to keep; to hold
guardia *m.* guard, guardsman
guerra war; **guerra florida** Aztec war (*hunt for sacrificial victims*)
guerrero/a soldier
guía *m., f.* guide; *f.* guidance
guiar (**guío**) to guide
gustar to like; to be pleasing to

gusto: a gusto at ease; **con gusto** gladly; **de mal gusto** in bad taste

haber (*irreg.*) to have (*auxiliary*); **había** there was/were; **hay** there is/are
habitación *f.* bedroom
habitante *m., f.* inhabitant
habitar to inhabit
hablar to speak, talk
hacer (*irreg.*) (*p.p.* **hecho/a**) to do; to make; **hace calor** it's hot (*weather*); **hace... días** . . . days ago; **hacer** + *period of time* + **que** + *present tense* to have been (*doing something*) for (*period of time*); **hacer caso** to pay attention; **hacer la maleta** to pack (a suitcase); **hacer un viaje** to take a trip; **hacer una pausa** to pause; **hacerse** to become; **se hace tarde** it's getting late
hacia toward
halagado/a flattered
hambre *f.* (*but* **el hambre**) hunger; **tener** (*irreg.*) **hambre** to be hungry
hambriento/a hungry, starving
hasta *prep.* until; up to; **hasta que** *conj.* until
hazañas feats, exploits
hecho/a (*p.p. of* **hacer**)made; done
hermano/a brother/sister
hermoso/a beautiful
hierba grass
hijo/a son/daughter
hipótesis *f.* hypothesis
historia history; story
historiador(a) historian
hogar *m.* home
hoguera campfire
hombre *m.* man
hora hour; time
hoy today; **hoy (en) día** nowadays
humilde humble

humo smoke
hundirse to sink

idioma *m.* language
iglesia church
iluminar to illuminate, light
imagen *f.* image
imaginar(se) to imagine
impedir (**i, i**) to impede, hinder; to prevent
imperio empire
implicar (**qu**) to implicate, imply
imponente imposing
importar to be important; to matter
impregnar to impregnate
impresionante impressive
improvisado/a improvised
impuesto tax
incesante unceasing, continual
incluir (**y**) to include
incómodo/a uncomfortable
inconsciente unconscious
incorporarse to sit up
incrédulo/a incredulous
increíble incredible
indeciso/a indecisive
indefenso/a defenseless
indígena indigenous, native
indio/a Indian
infancia childhood
infierno hell
infinidad *f.* infinity
ingeniería engineering
ingeniero/a engineer
iniciado/a initiated
injusto/a unjust, unfair
inmediato: de inmediato immediately
inmigrante *m., f.* immigrant
inodoro toilet
inquieto/a restless, uneasy
insaciable insatiable
insignia badge, emblem
inspeccionar to inspect
inspirar to stimulate, inspire

intentar to try; to intend
interés *m.* interest
intérprete *m., f.* interpreter
interrumpir to interrupt
intervenir (*like* **venir**) to intervene
introducir (*like* **conducir**) to put (into), insert; **introducirse (en)** to get in, break in
inútil useless
ir (*irreg.*) to go; **ir a** + *inf.* to be going to (*do something*); **irse** to leave, go away
ira ire, anger
isla island
izquierdo/a *adj.* left

jalar to pull
jardín *m.* garden
jefe *m.* boss
joven *n. m., f.* young person; *adj.* young
juego game
junio June
junto/a together; **junto a** along with; next to
jurar to swear (*take an oath*)

lado side; **de un lado** on one side
ladrón, ladrona thief, robber
lago lake
lágrima tear
lámpara lamp
lanza lance, spear
largo/a long; **a lo largo de** along
lástima pity; **¡qué lástima!** *interj.* what a pity!
lección *f.* lesson
leche *f.* milk
lechuga lettuce
leer (**y**) to read
legumbre *f.* vegetable
lejano/a distant
lejos *adv.* far, far away; **a lo lejos** in the distance; **lejos de** *prep.* far from
lengua language

lento/a slow; **a paso lento** slowly
leña firewood; **fogón** (*m.*) (**de leña**) (wood) cooking stove
Letras: Filosofía y Letras Humanities
levantar to lift, raise up; **levantarse** to get up
leve light, slight
leyenda legend
libre: al aire libre outdoors
libro book
líder *m.* leader, chief
limón *m.* lemon
limpiar to clean
limpio/a clean
llamar to call; **llamarse** to be named
llegada arrival
llegar (**gu**) to arrive; **llegar a** + *inf.* to manage to (*do something*); **llegar a ser** to become
llenar to fill
lleno/a full
llevar to wear; to carry; to bring; **llevar puesto/a** to have on (*clothing*), be wearing
llorar to cry
lluvia rain
loco/a crazy
locura craziness
lograr to get, obtain
lucha fight
luego then; soon
lugar *m.* place
lujo luxury
luna moon
luz *f.* (*pl.* **luces**) light

madera wood
madre *f.* mother
maíz *m.* corn
mal *adv.* badly
mal, malo/a *adj.* bad; **de mal gusto** in bad taste
maleta suitcase; **hacer** (*irreg.*) **la maleta** to pack (a suitcase)

mandar to send
mandato command
mando command (*military*)
manejar to drive
manera manner, way
mano *f.* hand
manta blanket
manto mantle, cloak
manzana apple; **la Gran Manzana** the Big Apple (*New York City*)
mañana tomorrow; morning; **por la mañana** in the morning
maquahuime *f.* wooden club studded with obsidian knives
maquillado/a made up, with makeup applied
maquillaje *m.* makeup
máquina machine
maquinaria machinery
mar *m., f.* sea
maravilloso/a marvelous
marcado/a marked, pronounced
marcar (**qu**) to mark
marcharse to leave, go away
mareo dizziness
mariposa butterfly
mármol *m.* marble
martes *m. sing., pl.* Tuesday
más more; most; **más de lo acostumbrado** more than usual; **más o menos** more or less; **más que nada** more than anything; **más tarde** later
matar to kill
matrimonio matrimony, marriage
máximo maximum
mayor great; greater; older
mediano: de mediana estatura of medium height
medio *n.* middle; means; *adv.* half; **en medio de** in the middle of; **por medio de** by means of
mejor better
mejorar to improve
melodioso/a melodious, tuneful

memoria memory; **aprenderse de memoria** to memorize
menor younger; slightest, least
menos: más o menos more or less
mensaje message
mensajero/a messenger
mente *f.* mind
mentir (**ie, i**) to lie
mercado market
mes *m.* month
mesa table
mesero/a waiter/waitress
metro metro, subway
mexica *n., adj. m., f.* Aztec
mexicano/a Mexican
mi my
mí *obj. of prep.* me
miedo fear; **dar** (*irreg.*) **miedo** to scare; **tener** (*irreg.*) **miedo** (**de**) to be afraid (of)
miel *f.* honey
mientras while; **mientras tanto** meanwhile
mil thousand
milagro miracle
milla mile
mío/a my, (of) mine
mirada look
mirar to look (at); **con sólo mirar** just by looking
mismo/a same; **aquí mismo** right here; **sí mismo/a** oneself
misterio mystery
misterioso/a mysterious
mitad *f.* half
mítico/a mythical
mito myth
mitología mythology
mochila backpack
mole *m.* (*Mex.*) dish prepared with chocolate, chili sauce, and spices; **mole picosito** hot sauce made from chocolate, peanuts, and chili peppers
molestar to bother, annoy
monótono/a monotonous

monstruo monster
montaña mountain
morir (ue, u) (*p.p.* **muerto/a**) to die
mostrar (ue) to show
mover(se) (ue) to move
movimiento movement
muchacho/a boy/girl
mucho/a a lot; *pl.* many
muebles *m. pl.* furniture
muerte *f.* death; **pena de muerte** death penalty
muerto/a (*p.p. of* **morir**) *n.* dead person; *adj.* dead
mujer *f.* woman; wife
mundo world
muñeca doll
murmurar to murmur
musculoso/a muscular
museo museum

nacer (zc) to be born
nada nothing, (not) anything; **más que nada** more than anything
nadie nobody, (not) anybody
narrar to narrate
natal *adj.* native
navegante *m.* sailor
necesidad *f.* necessity
necesitar to need
negro/a black
nervioso/a nervous
ni nor; **ni siquiera** not even
nido nest
nieve *f.* snow
ningún, ninguno/a none, (not) any
niño/a boy/girl; child
noche *f.* night; **buenas noches** good evening/night; **esta noche** tonight; **por la noche** in the evening/night
nogal *m.* walnut tree
nombrar to name, mention by name
nombre *m.* name
nopal *m.* prickly pear cactus
nordeste *m.* northeast

norte *m.* north
norteamericano/a North American
notar to notice
noticia news item; *pl.* news
noviazgo courtship
noviembre *m.* November
novio/a boyfriend/girlfriend; fiancé(e); bride/groom
nube *f.* cloud
nuestro/a our
nuevo/a new
nuez *f.* (*pl.* **nueces**) walnut; nut
número number
nunca never; (not) ever

o or
obedecer (zc) to obey
objetivo objective
objeto object
obra work; work of art
obsesión *f.* obsession
obsidiana obsidian
obstáculo obstacle
obtener (*like* **tener**) to obtain, get
obviamente obviously
octli *m.* pulque (*beverage made of fermented sap of maguey plant*)
ocupado/a occupied; busy
ocupar to occupy
ocurrir to occur
oeste *m.* west
ofendido/a offended
oferta offer
ofrecer (zc) to offer
ofrecimiento offering
ofrenda offering
oído (*inner*) ear
oír (*irreg.*) to hear
ojo eye
olor *m.* odor
olvidar to forget; **olvidarse de** to forget
olvido forgetfulness
opaco/a opaque
opinar to think, have an opinion

orden *f.* order, command
ordenar to order
orgullo pride
orgulloso/a proud
oro gold
oscuridad *f.* darkness
oscuro/a dark
otro/a other, another; **el uno al otro** to each other; **otra vez** again
oxidado/a rusted

paciencia patience
padre *m.* father; **Padre** Father (*form of addressing a priest*); **padres** parents
pagar (gu) to pay (for)
página page
país *m.* country
paisaje *m.* countryside, scenery
palabra word
palacio palace
pálido/a pale
palmera palm tree
pan *m.* bread
pantalón, pantalones *m.* pants
pañuelo handkerchief
papá *m.* dad
papel *m.* paper
par *m.* pair; **un par de** a couple of
para *prep.* for; in order to; **para allá** over there; **para que** *conj.* so that; **para qué diablos** why the devil
parada stop
paralizado/a paralyzed
parar to stop; **parar a** + *inf.* to stop to (*do something*)
parecer (zc) to seem, appear; **parecerse** to resemble
pared *f.* wall
pariente *m., f.* relative, relation
párpado eyelid
parque *m.* park
parte *f.* part
partidario *m., f.* partisan

partir to leave
pasado *n.* past
pasaje *m.* passage
pasar to pass, pass by; to happen; to come in; to spend (time); **¿te pasa algo?** is something the matter with you?
pasillo hallway
pasión *f.* passion
paso step; **a paso lento** slowly **dar** (*irreg.*) **unos pasos** to take some steps
pata foot, leg (*of an animal*)
patada kick
patria homeland, native land
pausa: hacer (*irreg.*) **una pausa** to pause
paz *f.* (*pl.* **paces**) peace
pecho chest; breast
pedazo piece, bit
pedir (i, i) to ask for, request; **pedir prestado/a** to borrow
pegado/a stuck, glued
pelea fight
pelear to fight
película movie, film
pelo hair
peluca wig
pena sorrow, pain; **pena de muerte** death penalty; **valer** (*irreg.*) **la pena** to be worthwhile
penetrar to penetrate
pensamiento thought
pensar (ie) to think
pensativo/a pensive
pequeño/a small; little
percibir to perceive
perder (ie) to lose; **perderse** to get lost
perdonar to pardon, excuse
perfil *m.* profile, outline
periodismo journalism
permitir to permit, allow
personaje *m.* character (*in a story*)
pertenecer (zc) to belong

pesadilla nightmare
pesar to be heavy
pesar: a pesar de in spite of
pescar to fish
petate *m.* (*Mex.*) sleeping mat
petición *f.* petition; **a petición de** at the request of
pico beak
picosito/a spicy; **mole picosito** hot sauce made from chocolate, peanuts, and chili peppers
pie *m.* foot; **a pie** on foot; **quedarse de pie** to remain standing
piedra rock; **piedra caliza** limestone; **piedra preciosa** precious stone, gem
piel *f.* skin; fur; hide
pierna leg
pieza piece
pintura painting
pirámide *f.* pyramid
pirata *m.* pirate
placer *m.* pleasure
plano/a flat
plataforma platform
plátano banana
plato plate, dish
playa beach
pluma feather
pluralidad *f.* **de culturas** cultural pluralism
pobre poor; **pobre de ti** poor you, you poor thing
poco *adv.* little; **poco a poco** little by little
pocos/as few
poder *m.* power
poder (*irreg.*) to be able
poderoso/a powerful
poema *m.* poem
poesía poetry
poeta *m., f.* poet
policía police (force)
político/a political
pollo chicken

pomada ointment; salve
pon *m.* (*P.R.*) ride
poner (*irreg.*) to put, place; **ponerse** to put on (*clothing*); **ponerse a** + *inf.* to begin, set about (*doing something*); **ponerse de acuerdo** to agree
por for; by; through; because of; **por aquí/allí** around here/there; **por dentro** inside; **por Dios** for heaven's sake; **por ejemplo** for example; **por eso** that's why; **por favor** please; **por fin** finally; **por la mañana/tarde/noche** in the morning/afternoon/evening, night; **por lo general** in general; **por medio de** by means of; **¿por qué?** why?; **por suerte** luckily; **por supuesto** of course; **por último** finally
porción *f.* portion, serving
portarse to behave
posesión *f.* possession
posibilidad *f.* possibility
posponer (*like* **poner**) to postpone
práctico/a practical
prado meadow
preceder to precede
preciosa: piedra preciosa precious stone, gem
preferir (**ie, i**) to prefer
pregunta question
preguntar to ask (a question); **preguntarse** to wonder
premio prize, reward
preocupado/a worried
presenciar to be present at, to witness
prestado/a: pedir (**i, i**) **prestado/a** to borrow
primer, primero/a first
príncipe *m.* prince
principio: al principio in the beginning
prisa: de prisa hurriedly

prisionero/a prisoner
probar (ue) to try, taste; to prove
profecía prophesy
profundo/a profound, deep
prometer to promise
pronto soon; **de pronto** suddenly
pronunciar to pronounce
propio/a own
proponer (*like* **poner**) to propose;
  proponerse to plan, intend
propósito purpose; intention
protagonista *m., f.* protagonist,
  hero/heroine
proteger (j) to protect
provincia province
provinciano/a provincial
próximo/a next
prudente prudent
prueba proof, evidence
publicar (qu) to publish
pueblo town
puerta door
puesto/a (*p.p. of* **poner**): **llevar**
  puesto/a to have on (*clothing*),
  be wearing
punto: estar (*irreg.*) **a punto de +**
  inf. to be about to (*do*
  something)
puñal *m.* dagger
puro/a pure

qué: ¿por qué? why?; **¡qué**
  lástima! *interj.* what a pity!
quedar to remain, be left;
  quedarse to remain, stay; to be;
  quedarse de pie to remain
  standing
quehacer *m.* chore
quejarse to complain
querer (*irreg.*) to want; to love;
  querer decir to mean
querido/a dear
quien(es) *pron.* who, whom;
  ¿quién(es)? who?, whom?
quinientos five hundred

quinto/a fifth
quitar to take away; **quitarse** to
  take off (*clothing*)
quizás perhaps

raro/a strange
rascacielos *m. sing.* skyscraper
rato while, short time
razón *f.* reason; **tener** (*irreg.*)
  razón to be right
reaccionar to react
real real; royal
realidad *f.* reality
realizar (c) to carry out, fulfill
rebelde *m., f.* rebel
rebozo shawl
recibimiento reception
recibir to receive
recien recent
recitar to recite
recoger (j) to pick up
reconocer (zc) to recognize
recordar (ue) to remember
recorrer to travel; to go through
recuerdo memory
recuperar to recuperate; to regain
redondo/a round
reescribir (*p.p.* **reescrito/a**) to
  rewrite
reflejado/a reflected
reflexión *f.* reflection
refrescar (qu) to refresh
regalar to give as a gift
regalo gift
regañadientes: a regañadientes
  grudgingly
registrar to register
regla rule
regresar to return
regreso return; (**viaje**) (*m.*) **de**
  regreso *adj.* return (trip)
reinar to reign
reino kingdom
reírse (i, i) to laugh
relación *f.* relationship

relacionado/a related
relato story, narrative
reliquia relic
repasar to review
repetir (i, i) to repeat
repleto/a full
representado/a represented
requerir (ie, i) to require
reseña review
residir to reside
resistir to resist
respirar to breathe
responder to answer
respuesta answer
resultado result
resumen *m.* summary
retrovisor: espejo retrovisor
  rearview mirror
reunión *f.* meeting
reunir (reúno) to meet
revelador(a) revealing
revelar to reveal
revista magazine
revivir to revive
rey *m.* king
rico/a rich
ridículo/a ridiculous
rincón *m.* corner
río river
riqueza wealth
rito rite, ritual
rodear to surround
rojo/a red
romper (*p.p.* **roto/a**) to break
ropa clothing
rostro face
rubio/a blond(e)
ruido noise
rumbo a bound for
ruta route

saber (*irreg.*) to know; **saber a** to
  taste like
sabor *m.* flavor
saborear to savor

sabroso/a tasty
sacar (qu) to take out, get out
sacerdote *m.* priest
saciar to satiate, satisfy
sacrificar (qu) to sacrifice
sacrificio sacrifice
sagrado/a sacred
sala room
salir (*irreg.*) to go out, leave
salón *m.* drawing room, reception
  room
salsa sauce
saltar to jump
salud *f.* health
saludable healthy
saludar to greet
salvar to save
san, santo/a saint
sandalia sandal
sangre *f.* blood
sartén *f.* frying pan
satisfacer (*like* **hacer**) (*p.p.*
  satisfecho/a) to satisfy
satisfecho/a (*p.p. of* **satisfacer**)
  satisfied
seco/a dry
sed *f.* thirst
seguir (i, i) (g) to continue; to
  follow
según according to
segundo second (*measure of time*)
seguridad *f.* security
seguro/a sure, certain
semana week
semilla seed
sencillo/a simple
sentarse (ie) to sit down
sentencia sentence, judgment
sentido: tener (*irreg.*) **sentido** to
  make sense
sentir(se) (ie, i) to feel
seña sign, signal
señalar to point out, point at
señor *m.* Mr., sir
señora Mrs., ma'am

separado/a separated
ser *m.* being
ser (*irreg.*) to be; **llegar a ser** to become; **o sea** that is
serie *f.* series
serpiente *f.* serpent
servir (**i, i**) to serve
sí: claro que sí *interj.* of course
sí mismo/a oneself
siembra sowing, sowing season
siesta afternoon nap
significado meaning
significar (**qu**) to signify, mean
siglo century
siguiente following
silencioso/a quiet
silla chair
simbolizar (**c**) to symbolize
símbolo symbol
simplicidad *f.* simplicity
sin without; **sin duda** undoubtedly; **sin embargo** however, nevertheless
sino but (rather)
siquiera: ni siquiera not even
sirviente/a servant
sitio place
sobre on, on top of; about; **sobre todo** especially, above all
sobrino/a nephew/niece
sol *m.* sun
soldado soldier
soledad *f.* solitude
soler (**ue**) to be in the habit of
solo/a alone; single
sólo only; **con sólo mirar** just by looking
soltero/a single, unmarried
sombra shadow
someter to subdue
sonido sound
sonreír (**i, i**) to smile
sonrisa smile
soñar (**ue**) (**con**) to dream (about)
sopa soup

soportar to endure, put up with
sorprender to surprise
sorpresa surprise
sospechar to suspect
sostener (*like* **tener**) to hold up, support
su *poss. adj.* his, her, its, your (*form. sing., pl.*)
suave smooth, soft
súbdito/a subject, citizen
subir to go up; to get into (*vehicle*)
subyugar (**gu**) to subjugate
suceso event
sucio/a dirty
sudor *m.* sweat
suelo floor
sueño sleep; dream; **tener** (*irreg.*) **sueño** to be sleepy
suerte *f.* luck; **por suerte** luckily; **tener** (*irreg.*) **suerte** to be lucky
sufrimiento suffering
sufrir to suffer
sugerir (**ie, i**) to suggest
sujetar to hold, grasp
superficie *f.* surface
supermercado supermarket
suponer (*like* **poner**) to suppose
supuesto: por supuesto of course
sur *m.* south
susurrar to murmur, whisper
susurro whisper

tal such, that
tampoco neither, not either
tan so
tanto *adv.* so much; **mientras tanto** meanwhile; **un tanto** somewhat, a bit
tanto/a *adj.* so, so much; *pl.* so many
taparrabo loincloth
tardanza tardiness
tardar to take a long time; **tardar... en** + *inf.* to be or take (*period of time*) to (*do something*)

tarde *adv.* late; **más tarde** later; **se hace tarde** it's getting late; **tarde o temprano** sooner or later

tarde *f.* afternoon; **por la tarde** in the afternoon

taza cup

teatro theater

techo roof

teja roof tile

tela cloth

tema *m.* theme

temblar (ie) to tremble

temblor *m.* tremor

temer to fear

templo temple

temprano early; **tarde o temprano** sooner or later

tender (ie) to spread out

tener (*irreg.*) to have; **tener... años** to be . . . years old; **tener frío** to be cold; **tener ganas de +** *inf.* to feel like (*doing something*); **tener hambre** to be hungry; **tener miedo (de)** to be afraid (of); **tener que +** *inf.* to have to (*do something*); **tener razón** to be right; **tener sentido** to make sense; **tener sueño** to be sleepy; **tener suerte** to be lucky

tercer, tercero/a third

terminar to finish

terreno terrain, land

tesoro treasure

testigo witness

ti *obj. of prep.* you; **pobre de ti** poor you, you poor thing

tibio/a warm

tiempo time

tierno/a tender

tierra land; ground

tiesto flowerpot

tigre *m.* tiger

tío/a uncle/aunt

típico/a typical

tipo guy, character; kind, type

tirar to throw

título title

tobillo ankle

tocar(se) (qu) to touch

todavía still; **todavía no** not yet

todo/a all; **sobre todo** especially, above all

tolerar to tolerate

tomar(se) to take; to drink; to eat; **tomar una decisión** to make a decision

tomate *m.* tomato

tono tone

tortilla (*Mex., Central Amer.*) tortilla (*round, flat bread made of corn or wheat flour*)

torturar to torture

tostón *m.* deep-fried plantain slice

trabajar to work

trabajo work

traducir (*like* **conducir**) to translate

traer (*irreg.*) to bring

traición *f.*: **a traición** treacherously

traje *m.* suit; costume

trama plot

tranquilidad *f.* tranquility, peace

tranquilo/a calm, peaceful

transportar to transport

trasfondo background

trastornar to upset, disturb; to make dizzy

tratar de + *inf.* to try to (*do something*)

través: a través de through

trayecto journey

tremendo/a tremendous

tren *m.* train; **estación** (*f.*) **de tren** train station

trenza braid; tress

tristeza sadness

triunfo triumph

trono throne

tu *poss. adj.* your (*fam. sing.*), (of) yours (*fam. sing.*)

tubo pipe

túnel *m.* tunnel
tuyo/a *poss. adj.* your (*fam. sing.*), (of) yours (*fam. sing.*)

últimamente lately
último/a last; **por último** finally
único/a only; unique
uniformado/a in uniform
uniforme *m.* uniform
unir to unite
universidad *f.* university
universo universe
uno: el uno al otro to each other
untar to smear; to apply (*ointment*)
usar to use

vaca cow
vacaciones *f. pl.* vacation
vacío/a empty
vagabundo/a vagabond, vagrant
valer (*irreg.*) to be worth; **valer la pena** to be worthwhile
valiente brave
valle *m.* valley
valor *m.* worth, value
vano: en vano in vain
variado/a varied
variedad *f.* variety
varios/as various; several
varón *m.* male
vecino/a *n.* neighbor, *adj.* neighboring
vehículo vehicle
vela candle
vencer (**z**) to win, be victorious
venda bandage
vendedor(a) salesperson
vender to sell
venir (*irreg.*) to come
ventaja advantage
ventana window
ventanilla train window
ver (*irreg.*) (*p.p.* **visto/a**) to see; **a ver** let's see; **verse** to be seen; to look, appear

verano summer
veras *f. pl.* truth; **de veras** really
verdad *f.* truth; **de verdad** truly, really
verdadero/a true
verde green
vestido dress
vestirse (**i, i**) to get dressed
vez *f.* (*pl.* **veces**) time; **a veces** sometimes; **de vez en cuando** once in a while; **otra vez** again
viajar to travel
viaje *m.* trip; **hacer** (*irreg.*) **un viaje** to take a trip
vicio vice
víctima *f.* victim
viejo/a *n.* old person; *adj.* old
viento wind
vino wine
violencia violence
Virgen *f.* Virgin Mary
visitar to visit
vista view
visto/a (*p.p. of* **ver**) seen
viviente living
vivir to live
vivo/a alive; living; lively, bright
volar (**ue**) to fly
volcán *m.* volcano
volver (**ue**) (*p.p.* **vuelto/a**) to return
voz *f.* (*pl.* **voces**) voice; **en voz alta** aloud
vuelta turn
vuelto/a (*p.p. of* **volver**) returned
vuestro/a *poss.adj.* your (*fam. pl. Sp.*), (of) yours (*fam. pl. Sp.*)

y and
ya already; **ya no** no longer

zona zone

Printed in the USA
CPSIA information can be obtained
at www.ICGtesting.com
LVHW082040220823
755991LV00004B/66